CARÈNE PONTE

Lauréate du Prix e-crire aufeminin, Carène Ponte est aussi l'auteur du blog Des mots et moi. Après *Un merci de trop* (2016), elle publie *Tu as promis que tu vivrais pour moi* (2017) et *Avec des Si et des Peut-être* (2018). Tous ses ouvrages ont paru chez Michel Lafon.

Retrouvez toute l'actualité de l'auteur sur :
http://www.desmotsetmoi.fr/

DU MÊME AUTEUR
CHEZ POCKET

UN MERCI DE TROP

TU AS PROMIS QUE TU VIVRAIS POUR MOI

CARÈNE PONTE

TU AS PROMIS QUE TU VIVRAIS POUR MOI

Édition enrichie par l'auteur
d'un bonus inédit

Pocket, une marque d'Univers Poche,
est un éditeur qui s'engage pour la préservation
de son environnement et qui utilise du papier fabriqué
à partir de bois provenant de forêts gérées
de manière responsable.

© Éditions Michel Lafon, 2017.
© 2018 Pocket, un département d'Univers Poche,
pour la présente édition.

ISBN : 978-2-266-28350-2

Dépôt légal : juin 2018

À Sylvain qui aura vingt-neuf ans à jamais.
À Sandrine, sa sœur, qui pense à lui chaque jour.

PROLOGUE

29 octobre 2015

Lorsque le réveil sonne, j'enfouis ma tête sous l'oreiller. Je n'ai jamais apprécié cet appareil spécialement conçu pour me sortir de la douce chaleur du sommeil. Mais ce matin, c'est pire que tout.

Il me semble que je n'ai pas quitté mon lit depuis des jours. Je voudrais que tout ceci soit un cauchemar. Rien qu'un cauchemar qui me réveillerait en sursaut, et me permettrait de réaliser que rien n'est vrai. Je voudrais de nouveau avoir cinq ans et m'en remettre à l'attrape-rêves que ma mère avait fixé au-dessus de mon lit. À l'époque, il me protégeait des monstres à une jambe et des sorcières chauves. Peut-être qu'aujourd'hui il me défendrait aussi contre ça.

La sonnerie retentit de nouveau. De rage j'attrape le réveil et de rage le balance à l'autre bout de la chambre. Le choc lui cloue le bec.

Je refuse de me lever et d'affronter cette journée. Parce que cela voudra dire que ma meilleure amie est définitivement partie. Et je ne veux pas lui dire au revoir. Pas dans une église gelée, remplie de gens en pleurs.

Je ne veux pas que chaque vendredi soit à jamais marqué par l'image d'un cercueil fermé. C'est au-dessus de mes forces.

Je veux encore croire qu'elle et moi, on ira bientôt se balader ou au cinéma. Si je ferme les yeux, je vois distinctement son visage, ses cheveux courts, ses grands yeux marron rieurs. Et si je me concentre, je suis sûre de pouvoir entendre son rire et sentir sa présence.

Comment peut-on mourir à trente et un ans ? Qui peut manquer de cœur à ce point pour décider qu'une fille aussi géniale que Marie doit succomber en quelques mois à peine à une saloperie de maladie ? Qui ?

Marie et moi, on se connaissait depuis tellement d'années. Vingt-cinq ans. Autant dire depuis toujours.

Ce jour-là, il faisait beau et nous venions tout juste d'emménager dans la maison que mes parents avaient achetée. J'étais folle de joie parce que pour la première fois j'allais avoir un jardin. Moi qui n'avais connu que l'aire de jeux en bas de l'immeuble. Un jardin, un vrai. Avec une balançoire, papa me l'avait promis.

À peine descendue du camion de déménagement, je m'étais précipitée pour voir à quoi ressemblait ce paradis tant attendu.

De l'herbe, des mauvaises herbes, des orties… Peu m'importait, je trouvais ça merveilleux.

Au bout, il y avait un grillage qui séparait notre maison de celle de nos voisins. Et derrière le grillage, une fille. Accroupie et concentrée avec un bâton entre les mains.

Alors que j'étais restée un temps hésitante, la curiosité avait fini par l'emporter et je m'étais approchée du grillage. La fille était en train d'essayer de faire rentrer des limaces dans une bouteille avec des feuilles de salade à l'intérieur.

— Qu'est-ce que tu fais ?

— Un élevage de limaces.

— Un élevage de limaces ? Mais pour quoi faire ?

— Pour les mettre dans le lit de mon petit frère. Peut-être qu'il s'en ira, comme ça.

— Moi, j'ai pas de frère, ni de sœur.

— Si tu veux je te donne le mien. Il ne fait rien que pleurer et j'ai même pas le droit de jouer avec lui. Un frère, c'est trop nul.

— Ouais, t'as raison c'est trop nul en fait…

Elle avait relevé la tête et abandonné les limaces qui, trop heureuses de l'aubaine, s'enfuyaient à toute bave.

— Comment tu t'appelles ?

— Molly.

— Avec un M comme moi ! Moi, c'est Marie que je m'appelle. Et t'as quel âge ?

— Quatre ans et demi mais bientôt ce sera mon anniversaire et j'aurai cinq ans !

— Et moi, j'ai six ans. Tu veux venir jouer au chevalier et à la princesse avec moi ? Comme c'est moi la plus grande, c'est moi qui décide qui fait la princesse et qui fait le chevalier, d'accord ?

— D'accord !

— Alors je fais le chevalier et toi la princesse. Tu vas voir, mon papa m'a fabriqué une épée en bois.

Elle avait souri. Il lui manquait une dent sur le devant. La chance ! La petite souris était déjà passée chez elle.

Une amitié de vingt-cinq ans. Du passé, des souvenirs et, à partir d'aujourd'hui, plus rien.

La petite fille derrière son grillage laisse peu à peu la place dans mon esprit à l'amie que j'ai vue s'éteindre il y a quelques jours sur un lit d'hôpital. L'enchaînement des événements est un peu flou, comme si mon esprit voulait m'en épargner le souvenir.

En revanche, les derniers vrais moments d'échanges que j'ai passés avec elle sont gravés dans ma mémoire. C'était il y a maintenant plusieurs semaines, mais je me souviens de chacun des mots qu'elle a prononcés. Et de la demande qu'elle m'a faite...

Lorsque j'étais arrivée dans sa chambre ce jour-là, elle était assise dans son lit. Elle était déjà si pâle et amaigrie... Pourtant elle avait eu un sourire radieux quand elle m'avait vue.

— Je me demandais à quelle heure tu arriverais ! Il faut absolument que je te parle de ce nouvel infirmier qui est venu ce matin pour mon injection. Il est ca-non ! C'est dans ces moments-là que je me dis que j'aurais dû persévérer dans mes études d'infirmière...

— Tu es incorrigible. C'est le combientième infirmier sur lequel tu craques, dis-moi ?

— Tu sais, Molly, il n'y a que toi pour décider de te caser à même pas trente ans avec un type insipide. Pour ma part, j'ai envie de profiter de la vie...

Un blanc s'était installé.

— Germain n'est pas insipide...

— Rien que son prénom donne envie de dormir. Non mais Molly et Germain... Tu ne t'es pas dit dès le départ qu'il y avait un problème ? Une Molly, ça mérite un John ou un Brad ! Mais un Germain... Et dire que c'est ma mère qui vous a présentés ! Ça me désespère.

J'avais commencé à rire avant de m'arrêter d'un coup, comme si le tragique de la situation se rappelait à moi.

— Pourquoi tu fais cette tête ?

— Parce que... Enfin... Tu vois...

— Je vois quoi ? Que je vais mourir ? Et alors ? Ça doit m'empêcher de rire avec ma meilleure amie ? De lui parler de mon infirmier canon ? Ou encore de lui dire que son copain est aussi intéressant qu'une émission d'Arte sous-titrée en allemand ?

— Mais...

— Sérieusement, Molly, si tu es venue pour t'apitoyer sur mon sort, tu peux repartir. Ma mère le fait déjà très bien, tu sais. Et une personne qui passe son temps à chialer quand elle est là, c'est déjà trop. Moi, j'ai besoin de rire. D'oublier cette clinique, cette chambre, cette maladie de merde.

J'avais pris sur moi et dévié maladroitement la conversation.

— Tu as dit « infirmier canon » ? Mais canon comment ?

Elle avait souri et nous avions passé l'après-midi comme si de rien n'était. Comme si ma meilleure amie n'était pas en fin de vie. Comme si elle n'avait pas perdu dix kilos et tous ses cheveux. Comme s'il n'y avait pas la douleur pour la faire grimacer, cette douleur qu'elle essayait de masquer derrière un sourire souvent crispé.

Avant la fin de sa garde, l'infirmier était venu pour l'injection de je ne sais quel produit qui la détraquait plus qu'il ne la guérissait. Il était en effet canon. La fin des visites approchait.

— Dis-moi, Molly, j'ai un service à te demander.

Nous étions allongées l'une à côté de l'autre, tête contre tête.

— Tout ce que tu veux…

— Toi et moi, on sait maintenant que je ne sortirai jamais vivante de cette chambre. J'avais encore des tas de cœurs à faire chavirer mais que veux-tu, c'est comme ça…

Elle avait tourné la tête vers la mienne. Une larme avait commencé à rouler sur ma joue et je l'avais essuyée d'un geste rapide.

— Molly, s'il te plaît. C'est important. Je retourne ça dans ma tête depuis des jours. Je… Je voudrais que tu vives pour moi. Tu le ferais ?

Je m'étais redressée sur un coude.

— Que je vive pour toi ? Je ne comprends pas…

— Oui. Que tu vives pour nous deux. Que tu profites de la vie à ma place. Comme ça, j'aurais l'impression de ne pas mourir totalement.

— Mais… Je ne vois pas du tout…

— On est amies depuis que j'ai six ans, Molly. Je te connais mieux que personne. Et je sais qu'au fond de toi il y a tellement plus… Tu mérites mieux que cette petite vie dans laquelle tu es en train de t'enliser, avec ta foutue peur de la solitude.

— Mais je suis très heureuse !

— Sérieux ? Avec Germain le soporifique ? À être serveuse dans ce restaurant ?

— …

— Et la Molly qui rêvait de devenir danseuse étoile ? Elle est passée où ? Je sais qu'elle est toujours là, moi. Et comme on ne peut rien refuser à une mourante, eh bien je t'ordonne de lui laisser la place.

— Mouais. Je ne relèverai pas pour Germain, qui manifestement ne trouve pas grâce à tes yeux. Quant à la danse, c'est une vieille histoire, tu sais bien que c'est du passé… Changer de vie ? Tout changer ? J'aimerais t'y voir.

— Il se trouve que je ne vais pas vraiment avoir le temps… Donc… Écoute, on va dire que tu as un an devant toi. Oui, un an. Pour trouver un boulot qui te mette des étoiles dans les yeux et pas seulement de l'argent sur ton compte en banque, pour virer Germain, pour être heureuse, quoi ! Et tu me raconteras tout. Comme on l'a toujours fait. Comme si j'étais toujours vivante.

— Mais…

— Promets-le-moi, Molly.

J'avais promis. Trois semaines plus tard, elle était morte.

On est le 30 octobre. Aujourd'hui, je vais assister à l'enterrement de ma meilleure amie. Je ne sais même pas comment je vais survivre à cette journée.

Alors vivre…

1

— Tu es prête, mon poussin ?

Depuis près d'une demi-heure, face au miroir de la salle de bains, j'essaie de discipliner mes longs cheveux roux et bouclés pour qu'ils tiennent dans un chignon. Sans grand succès. Comme lorsque j'étais petit rat de l'Opéra de Paris, et que j'endurais chaque matin cette torture de la brosse qui tire les cheveux et des épingles enfoncées pour maintenir l'ensemble en un chignon impeccable. Que pas une mèche ne dépasse.

Je me retourne d'un geste brusque pour le fusiller du regard.

— Est-ce que j'ai l'air d'être prête ? Et puis on ne va pas à un bal, on s'en fout que je sois prête ou non ! On enterre Marie aujourd'hui. Alors tu vois, ta question est juste stupide, je ne serai jamais prête pour ça. Et puis franchement, arrête avec tes « mon poussin », on n'est pas vétos !

— Pardon, Molly, je ne voulais pas dire ça…

Germain me fait face et je devine que je l'ai blessé. Il est sans doute le garçon le plus gentil que je connaisse. Toujours prévenant et plein d'attentions.

Toujours à me laisser choisir, à accepter de faire ce dont j'ai envie.

Et même en cet instant, alors que je viens de lui lancer une remarque injuste et méchante, il trouve encore le moyen de s'excuser. Ce qui devrait me toucher, m'attendrir, pour une raison qui m'échappe, décuple ma colère.

Cela fait quasiment six mois que Germain et moi sommes ensemble, presque autant que j'ai emménagé dans le petit appartement que lui ont légué ses grands-parents dans le 8e arrondissement de Paris. La question de vivre sous le même toit ne s'est pas vraiment posée mais imposée. J'avais dû retourner vivre chez mes parents après qu'Hugo m'avait quittée et, bien que je les adore, la cohabitation ne pouvait s'éterniser. Pour eux comme pour moi.

Quinze jours à peine après ma rupture, la mère de Marie, responsable d'un service administratif et financier, m'avait présenté Germain, son nouveau stagiaire. Marie avait dû passer la voir à son bureau pour lui rendre un livre et nous nous étions donné rendez-vous là-bas avant d'aller faire du shopping.

Lorsque je l'avais croisé près de la machine à café, Germain s'était fendu d'un petit sourire timide creusant des fossettes sur ses joues. Je l'avais trouvé mignon avec ses grands yeux bleus.

Deux jours après cette rencontre, il m'envoyait un message me proposant d'aller prendre un verre. Il avait convaincu la mère de Marie de lui donner mon numéro de téléphone. J'avais accepté. Petit à petit, j'avais amené mes affaires chez lui pour définitivement quitter ma chambre de petite fille dans le pavillon de La Garenne-Colombes où j'avais grandi.

— Si tu as besoin de moi, je t'attends à côté.

Oui, Germain est un vrai gentil. Il referme douce-ment la porte de la salle de bains derrière lui et je reprends ma position face au miroir.

Comme si je pouvais être prête !

Et si je n'y allais pas ? Elle ne m'en voudrait pas. De toute façon, elle ne sera pas là pour le voir.

Les larmes que je refoule depuis que je suis réveil-lée se mettent à couler, validant l'option sans maquil-lage pour laquelle j'ai optée. Le vide que je ressens au fond de l'estomac prend d'un coup toute la place, les sanglots se font plus violents. Je peine à trouver mon souffle. D'un geste rageur, je balaie tout ce qui se trouve sur la tablette devant moi, ignorant le fracas des bouteilles de parfum et vernis à ongles qui se brisent sur le sol.

La porte de la salle de bains s'ouvre sans bruit et je sens la main de Germain caresser maladroitement mes cheveux défaits.

— Ça va aller, mon poussin, ça va aller.

L'église est déjà pleine de monde lorsque nous entrons. J'ai renoncé au chignon et Germain me tient la main de peur sans doute que je m'effondre en plein milieu de l'allée.

De nombreux visages me sont inconnus et c'est tant mieux, parce que apercevoir ceux que je connais suffit à faire de nouveau couler mes larmes.

Charlotte, la mère de Marie, est assise au premier rang, les épaules voûtées. Elle qui a vu mourir son mari il y a cinq ans doit cette fois-ci enterrer sa fille. Son visage est d'une pâleur extrême accentuée par la finesse de ses traits. Elle a pris dix ans en quelques jours. À côté d'elle se tient Sacha, vingt-quatre ans, le frère de Marie. Le dos raide, la bouche crispée, il soutient sa mère qui s'appuie désespérément contre lui. Il est désormais tout ce qui lui reste.

J'évite de croiser leurs regards ; je sais que je ne supporterais pas d'y lire toute la douleur qu'il y a aussi sans aucun doute dans les miens. J'essaie de ne pas regarder le cercueil qui surplombe l'assemblée. De ne pas penser à ce qu'il contient.

Je m'assois sur un banc derrière la famille de Marie et m'efforce de calmer le tremblement de mes jambes. Je ferme les yeux et tente de m'évader loin de cet endroit. L'image de Marie aussitôt envahit ma pensée. Petite brune coiffée à la garçonne, toujours prête à rire, tellement pleine de vie.

— Comment vas-tu, ma chérie ?

La voix de ma mère me sort de ma torpeur. Mon père et elle ont pris place derrière nous. L'amitié qui lie mes parents à ceux de Marie est tout aussi ancienne que la nôtre et presque aussi forte.

Pour notre plus grand plaisir, nous passions souvent nos samedis soir l'une chez l'autre. Pendant que nos parents débattaient frénétiquement des sujets d'actualité, que ma mère tentait de faire valoir sa vision américaine des choses, Marie et moi, nous jouions toutes les deux, souvent rejointes par Sacha, ce qui nous agaçait prodigieusement.

Je sais combien le décès d'Henri, le père de Marie, a profondément affecté mes parents il y a cinq ans. Ils soutiennent Charlotte autant qu'ils le peuvent depuis.

Combien de temps dure la cérémonie, je n'en ai aucune idée. Je me lève et me rassois au rythme de ce qui nous est dicté. Je triture dans ma main droite un mouchoir réduit à l'état d'une petite boulette qui ne peut plus rien essuyer. Les discours et hommages s'enchaînent. Tous ceux qui parlent de Marie ne la connaissaient pas comme moi je la connaissais, mais il était au-dessus de mes forces de prendre la parole.

Quand arrive le moment de bénir le cercueil et d'adresser un dernier adieu à ma meilleure amie, mes jambes refusent de me porter. Je vois tous ces gens se mettre en ligne et avancer pas à pas. Je pense à ce qu'elle était, à ce qu'elle représentait pour moi. Mon corps rejette en bloc ce qui est en train de se dérouler sous mes yeux.

Elle m'a demandé de vivre pour elle. Et là, dans cette église, je ne vis pas, elle ne vit pas. Là, dans cette église, soudain, c'est trop dur. Je me sens comme oppressée, je peine à trouver de l'air pour respirer. Il faut que je sorte, je ne peux pas rester là, où il n'y a que la mort et le chagrin. Que le désespoir et les adieux que l'on ne devrait jamais avoir à faire.

Je regarde tout autour de moi, des visages fermés, des yeux mouillés que l'on tamponne avec un coin de mouchoir, mes parents qui soutiennent Charlotte en larmes devant le cercueil.

C'est plus que je ne peux supporter.

Mes jambes qui refusaient de répondre quelques minutes plus tôt d'un coup me soulèvent. J'avance de quelques pas dans l'allée, fais demi-tour et me mets à courir vers la sortie pour quitter cet endroit au plus vite.

J'entends à peine Germain bredouiller quelques mots dans mon dos. Je crois comprendre qu'il me demande où je vais. Peu importe, tant que c'est loin d'ici.

Je pousse les lourdes portes de l'église et me retrouve sur le parvis, fouettée par le vent de cette froide journée d'octobre. Je descends la volée de marches et avance droit devant moi.

— Tu ne devrais pas rester seule.

Viviane vient de sortir de sa voiture. Elle est après Marie la plus proche de mes amies. Toutes les deux ne s'appréciaient pas beaucoup. Viviane, censée, organisée et réfléchie. Marie, délurée, sans aucun plan de carrière, imprévisible.

Je regarde Viviane s'avancer vers moi et la réalité de ce que je viens de vivre s'impose à moi.

— Elle est partie, Viv…

— Je sais, Molly, je sais.

D'un geste un peu gauche de celle qui n'a pas l'habitude, elle me prend dans ses bras. Pendant de longues secondes, je pleure en silence. Viviane ne dit pas un mot.

Une bourrasque de vent plaque mon manteau contre mes jambes. Une bande d'adolescentes passe devant nous, j'entends leurs rires résonner et peu à peu s'éloigner.

Puis le vent se calme. Un timide rayon de soleil fait même son apparition.

Viviane desserre son étreinte. Les yeux enfin secs, je m'écarte. Je tente de démêler avec les doigts mes cheveux rendus fous par les éléments. De l'autre côté de la rue, un type glisse sur je ne sais trop quoi et se rattrape in extremis non sans avoir mouliné des bras pour garder l'équilibre.

Je sens un fou rire qui monte du fond de mon estomac. J'essaie de le contenir mais il est si impérieux que je le laisse m'envahir et ris jusqu'à en avoir mal aux côtes.

Viviane me dévisage et son expression ne fait que renforcer mon hilarité.

Je vais vivre, Marie, je vais vivre. Je te le promets.

2

5 novembre

Seule dans l'appartement, je m'active frénétiquement depuis plusieurs heures. À croire que personne n'a jamais fait le ménage à fond ici. Depuis que j'ai emménagé, j'ai envie de tout sortir des tiroirs, de vider les placards, de donner un grand coup de frais à cet appartement coincé dans les années soixante-dix.

L'envie était là mais le temps me manquait. Être serveuse ne laisse pas beaucoup d'énergie.

Mais là, j'ai deux semaines de vacances devant moi alors je compte bien les mettre à profit. Peut-être même que je vais enlever cet immonde papier peint à fleurs et repeindre les murs. J'ai envie de jaune, de gris, de touches de turquoise, de bois clair, de meubles blancs.

Deux semaines de vacances d'affilée, je crois que cela ne m'est pas arrivé depuis au moins cinq ans. Pas depuis que je travaille *Au Grand Gourmet*, une brasserie chic située dans le 5e arrondissement de Paris et dirigée par M. Patterson.

M. Patterson est un vieil ami de ma mère. Ils ont passé une partie de leur enfance et leur adolescence dans un quartier résidentiel de Chicago jusqu'au départ de ma mère à l'âge de dix-huit ans.

Ils se sont retrouvés lorsqu'elle a créé son compte Facebook et frénétiquement recontacté toutes les personnes auxquelles elle se souvenait un jour d'avoir parlé, ne serait-ce que quelques minutes.

Elle me demandait sans cesse si je me souvenais du nom d'Untel ou d'Unetelle, ma maîtresse de petite section en maternelle, le coiffeur qui avait massacré ma coupe de cheveux à l'âge de treize ans (et dont elle espérait apprendre qu'il avait fait faillite, simplement pour que justice soit faite, affirmait-elle), ou encore la petite stagiaire de la boulangerie.

Pendant des semaines, elle m'en a parlé chaque fois qu'on se voyait, me reprochant de ne pas l'avoir convaincue de créer ce compte plus tôt. Un comble.

M. Patterson, James de son prénom, rêvait d'ouvrir un restaurant à Paris. Il en avait parlé à ma mère et elle s'était mis en tête de l'informer de toutes les enseignes à vendre de la capitale. Lorsque le propriétaire d'*Au Grand Gourmet*, M. Dutreil, avait pris sa retraite, ma mère lui avait aussitôt dit qu'elle avait un vieil ami qui serait intéressé par l'affaire. Nous étions des habitués et il avait été séduit par l'idée de céder son commerce à un Américain. Le charme de ma mère, ses grands yeux verts et ses longs cheveux roux n'y étaient sans doute pas étrangers non plus.

Elle s'était précipitée sur Facebook pour prévenir James, et lui vanter la brasserie, l'emplacement, la clientèle. Il avait tout plaqué pour reprendre le restaurant et réaliser à cinquante-cinq ans le rêve de sa vie.

Mais comment les gens font-ils pour tout quitter du jour au lendemain et emménager dans une ville où ils n'ont jamais mis les pieds ? Je frémis rien que d'y penser.

M. Patterson avait donc pris la suite de M. Dutreil et moi, une place de serveuse.

Je ne faisais pas grand-chose à l'époque ; après une année de fac de droit et une autre en psycho, j'enchaînais les petites missions d'intérim sans intérêt. Ma mère avait donc demandé à son vieil ami de m'embaucher. Ses grands yeux verts et ses boucles rousses avaient une fois encore fait le reste.

J'étais donc devenue serveuse. Pas longtemps, je me l'étais promis. Juste le temps de faire le point sur ma vie et de me lancer dans une vraie carrière.

Mentalement je fais le compte, cela fera six ans dans quatre mois. Ah oui, tant que ça…

Un chiffon à poussière dans une main et un grand sac-poubelle dans l'autre, je continue mon grand nettoyage par le vide. Qui a besoin de conserver dix ans de programmes télé périmés ? Je pose la question.

Et un tiroir complet de prospectus de pizzas à emporter ? Sachant qu'invariablement on se contente d'appeler le premier numéro de la pile. Allez, hop, à la poubelle !

Je regarde tout autour de moi un peu désespérée. C'est comme si je découvrais cet endroit où je vis depuis plusieurs mois pour la première fois.

Les rideaux un peu jaunis, les tapis à motifs géométriques, le canapé en velours, les meubles en bois sombre. Un appartement dans lequel ont vécu les grands-parents de Germain et dans lequel ils habitent toujours manifestement.

Ils sont partis en résidence spécialisée pour personnes âgées il y a près de trois ans et l'ont légué à leur petit-fils. Pourquoi Germain n'a-t-il pas pris la peine de faire le moindre changement, je l'ignore.

J'ai commencé à lui soumettre mes idées de décoration hier soir :

— Tu ne voudrais pas qu'on enlève le papier peint et qu'on donne un coup de peinture ? Et puis le canapé, tu sais, j'en ai vu un super un peu vintage chez IKEA, tu ne voudrais pas qu'on aille voir ?

— Bien sûr, mon poussin. Si cela peut te faire plaisir et te remonter un peu le moral, tout ce que tu voudras.

— Mais toi, tu en penses quoi ? Tu as envie de couleurs en particulier ?

— Oh tu sais, moi... Je m'en fiche un peu. Je te fais entièrement confiance. Tout ce qui te plaira me plaira.

J'avais eu envie d'attraper un poussin, de lui arracher les plumes une par une et de les balancer à la tête de Germain. Je m'étais contentée de continuer à surfer sur Internet, assise en tailleur sur le canapé, mon MacBook sur les genoux.

Deux semaines de vacances, il faudra au moins ça pour rendre cet appartement vivable.

Non pas que M. Patterson se soit montré d'un coup particulièrement généreux avec moi. Il a surtout eu pitié des clients devant lesquels je fondais en larmes à la moindre occasion. Parce que depuis la mort de Marie...

Je secoue la tête. Ne pas penser à elle. Ne pas laisser mon esprit commencer à invoquer les souvenirs. Faire du ménage, du tri et rien d'autre. Et si on cassait la cloison entre la cuisine et le salon, pour en faire une grande pièce ouverte ? Oui, sauf que cela nécessitera de redécorer cette cuisine en formica blanc aussi désespérante qu'une salade végétarienne sauce à part.

La sonnerie de l'interphone coupe court à mes rêveries en mode décoratrice d'intérieur.

— Oui ?

— Bonjour, c'est le facteur. J'ai un recommandé pour vous.

Un recommandé ? Tiens… Je n'attends rien de particulier. J'espère que ce n'est pas quelque chose de grave. J'ai toujours eu les recommandés en horreur.

— Je descends.

Mais qu'est-ce que ça peut être ? Cela fait des semaines que je n'ai pas utilisé de voiture : ça ne peut pas être un avis d'excès de vitesse. Mon compte en banque est créditeur, enfin je crois…

J'ouvre la porte de l'immeuble, signe le registre et attrape la grande et lourde enveloppe marron que me tend le facteur. Quand je jette un œil à l'écriture, mon cœur manque un battement.

3

L'enveloppe est sur la table basse, posée en plein milieu. J'ai l'impression de l'observer depuis des heures.

Les deux petits cœurs dessinés dans le coin gauche, l'adresse qui prend presque toute la place, tracée au feutre violet. Celui qui ne la quittait jamais, qu'elle avait toujours dans son sac, qu'elle rachetait encore et encore chaque fois que le précédent était vide. Ce stylo, c'est ma marque de fabrique, disait-elle. Il me permet de m'annoncer avant même de prononcer mon nom.

Et cette écriture… Je la reconnaîtrais entre mille. Je l'ai lue si souvent. Marie.

Mais pourquoi m'envoie-t-elle une lettre ? Pourquoi l'enveloppe est-elle si lourde ? Et comment est-ce possible, d'abord ? Elle est morte…

Comme chaque fois que j'y pense et que je ne parviens pas à embrayer sur autre chose, mes yeux se remplissent de larmes.

Trois petits coups secs à la porte d'entrée de l'appartement. Ça doit être Viviane. En panique, je l'ai appelée aussitôt après le départ du facteur, incapable de calmer mes pleurs ou d'aligner deux mots. Elle m'a promis de passer entre deux audiences au tribunal.

Viviane est avocate spécialisée en droit de la famille. Enfin, « droit de la famille », c'est vite dit, son quotidien est plutôt rempli de procédures de divorce et de couples qui se déchirent. On repassera pour la famille.

Depuis le jour de l'enterrement, où elle m'attendait à la sortie de l'église, elle est aux petits soins avec moi. Elle m'envoie des messages pour prendre de mes nouvelles. Marie et elle ne s'entendaient pas spécialement bien mais elle sait combien elle comptait pour moi et je sens qu'elle a de la peine malgré tout.

J'ai rencontré Viviane à Assas, sur les bancs de la fac de droit. J'y étais par hasard, elle, par passion. Elle portait le prénom de Julia Roberts dans *Pretty Woman*. Et moi, j'étais rousse. Nous étions faites pour nous entendre.

J'avais compris très vite que le droit n'était pas ma vocation. Tous ces trucs à apprendre, ces jurisprudences, je bâillais à m'en décrocher la mâchoire. Mais j'aimais bien Viviane, alors j'étais restée. Elle avait obtenu sa première année avec brio et moi, non sans brio, je m'étais inscrite en fac de psycho.

Toutes les deux, nous étions restées amies. Aujourd'hui, elle exerce le métier pour lequel elle est faite. Et moi, je sers des feuilletés chèvre à la crème ciboulette et des tartes Tatin déstructurées.

— Qu'est-ce qu'il se passe, Molly ? Ça ne va pas ?

Sa robe d'avocate qu'elle porte repliée sur son bras me confirme qu'elle est bien entre deux audiences. Tailleur pantalon noir, cartable en cuir sombre et carré plongeant complètent l'ensemble. C'est ainsi que j'ai toujours connu Viviane. Classe et sobre.

— C'est…

Je ne parviens pas à aller plus loin et lui désigne du menton l'enveloppe sur la table basse. Viviane s'approche pour mieux distinguer.

— Et c'est cette enveloppe qui te met dans un état pareil ?

— Ce n'est pas l'enveloppe. Mais celle qui me l'envoie.

— Comment ça ?

— Là, sur cette enveloppe… C'est l'écriture de Marie.

— Marie ? La Marie qui est… ?

— Morte ? Oui, la Marie qui est morte. De quelle autre Marie pourrait-il s'agir ?

Viviane ouvre la bouche pour rétorquer quelque chose puis elle se ravise. Une avocate qui en reste sans voix, c'est suffisamment anormal pour me faire réaliser l'agressivité de mon ton.

— Excuse-moi, Viv. Je suis un peu… Enfin, tu vois. Elle n'est plus là et aujourd'hui je reçois cette lettre. J'essaie de ne pas penser à elle et elle, elle m'envoie… ça.

— Et tu l'as ouverte, cette lettre ? Elle a peut-être une bonne raison de te l'envoyer ?

— Je n'ai pas encore eu le courage de le faire.

Mes sanglots reprennent. Viviane me prend le bras et m'entraîne sur le canapé. Puis elle me rapporte un verre d'eau de la cuisine.

— Bois un peu, ça t'aidera à te calmer.

Sans cesser de fixer l'enveloppe, j'avale une gorgée d'eau, puis une deuxième. Je tente de reprendre ma respiration.

— Est-ce que tu veux que je l'ouvre pour toi ? me propose Viviane. Comme ça, si ce sont des photos, je pourrais te le dire et tu pourras choisir de ne pas les regarder.

J'acquiesce d'un signe de tête, mon verre d'eau toujours entre les mains. Je regarde Viviane attraper lentement l'enveloppe et la retourner pour la décacheter. Instantanément, je ferme les yeux.

— Il y a une lettre. Et plusieurs autres enveloppes à l'intérieur, m'explique-t-elle au bout de quelques secondes. Pas de photo, enfin je ne crois pas.

Je tente de deviner ce que peut bien contenir cette lettre, afin de pouvoir m'en épargner la lecture. Mais rien ne me vient à l'esprit. Je rouvre les yeux et tourne la tête vers Viviane.

— Tu veux que je te la lise ? propose-t-elle.

— Non... Enfin, oui... Je ne sais pas trop. Qu'est-ce que tu ferais, toi, à ma place ?

Question stupide, n'importe qui à ma place lirait cette lettre.

— Oui, vas-y, lis-la-moi, s'il te plaît, Viv, enchaîné-je donc sans attendre sa réponse.

Alors qu'elle commence à lire, la voix posée et assurée de Viviane se superpose aux mots désorganisés de Marie.

Molly,

Oui, je sais, je suis morte et tu te demandes comment tu peux recevoir aujourd'hui une lettre de moi. Il ne s'agit pas d'une mauvaise blague, rassure-toi. Je sais que j'ai un humour parfois douteux mais sur ce coup-là, fais-moi confiance, il n'en est rien.

J'ai demandé à ma mère de te poster cette enveloppe après ma mort. Elle non plus, je crois, n'a pas bien compris. Apprête-toi d'ailleurs à recevoir un coup de fil de sa part sitôt que tu l'auras reçue. Je n'ai rien voulu lui dire. Enfin bref, désolée pour ça.

Je pense à cette promesse que tu m'as faite. De vivre pour nous deux. D'enfin réaliser tes rêves de danseuse, d'être heureuse... Et puis je repense à ce film qu'on a regardé ensemble. Tu sais, celui avec le mari qui meurt et qui laisse des lettres à sa femme. Qu'est-ce qu'on a pu chialer en le regardant !

Il y a tellement de choses que je n'ai pas eu le temps de faire. Tellement de choses... Tu te souviens par exemple qu'on s'était dit qu'un jour on sauterait en parachute toutes les deux ? Oui, je sais, c'est plutôt une de mes idées. Avoue que ça doit être grisant de se jeter d'un avion et de planer pendant quelques minutes !

Cette pensée que je ne pourrai plus rien réaliser de ce qui me faisait envie me hante depuis tout à l'heure. Je sais que je m'apprête à te demander beaucoup. Mais tu as promis !

Tu as promis que tu vivrais pour moi. Et personne d'autre que toi ne le peut. Surtout, je n'ai envie de demander ça à personne d'autre. Tu es ma meilleure amie depuis que j'ai six ans. Ma seule vraie amie.

J'ai réfléchi et j'ai listé des choses, trois fois rien parfois, que j'aurais tellement aimé faire. Tu trouveras dans cette enveloppe d'autres petites enveloppes avec écrit dessus le mois concerné. Elles contiennent chacune un souhait, un rêve. Et pour que tu puisses les réaliser pour moi, j'y ai joint chaque fois un peu d'argent. Je n'avais pas touché à l'assurance-vie de mon père. Je ne vois pas de meilleur moyen de l'employer.

Une enveloppe par mois. Un peu de moi pendant un an...

Bises

Marie

La lecture terminée, Viviane sort toutes les petites enveloppes.

— Il y en a bien douze. C'est quoi cette histoire de vivre pour vous deux ? Tu ne vas pas faire ce truc morbide ? Ça n'est pas sérieux !

— Tu ferais quoi, toi, si tu apprenais que tu allais mourir à trente ans, hein ?

— En tout cas, certainement pas un truc pareil ! Ça signifie quoi exactement, « réaliser tes rêves de danseuse » et « être heureuse » ? Tu n'es pas heureuse ? Il y a un souci avec Germain ? Nicolas ne m'en a rien dit...

Nicolas, le mari de Viviane, a tout de suite accroché avec Germain. Si bien qu'ils sortent souvent ensemble et vont courir tous les dimanches.

— Mais non, tout va bien. C'est juste que... Marie pensait que ce n'était pas l'homme qu'il me fallait.

— Tu es la mieux placée pour le savoir, non ? rétorque-t-elle sèchement.

— Écoute, Viv, je sais que tu n'as jamais compris Marie et je ne te demande pas de le faire aujourd'hui. Je te remercie vraiment d'être là avec moi mais, pitié, arrête avec tes jugements.

— Excuse-moi. Mais reconnais que c'est bizarre quand même ?

« Bizarre » ? Pas vraiment, en fait. C'est Marie. Je reconnais bien là sa soif de vivre. Elle ne me l'a jamais montré mais je comprends à quel point elle a dû souffrir à l'idée de mourir à peine au début du chemin. Oui, tout ça, cette lettre, ces enveloppes, c'est tellement elle.

— Non, ce n'est pas bizarre. Et pour répondre à ta question, bien sûr que je vais suivre ce qu'elle m'indique dans chacune de ces enveloppes. C'est le moins que je puisse faire, non ?!

Viviane partie, retournée à sa vie de prestation compensatoire et partage de biens, je me remets à ranger l'appartement.

Les enveloppes, elles, sont toujours disposées sur la table basse. En un petit tas bien agencé. Pas un coin qui dépasse. Comment Nicolas fait-il pour supporter Viviane, je me le demande. Je l'adore, mais vivre avec elle doit être assez pénible. J'imagine le drame s'il ne replie pas la serviette de toilette exactement de la bonne manière dans la salle de bains et si, ô malheur, l'étiquette est du mauvais côté du pliage…

Je pourrais les ouvrir, ces enveloppes… Après tout, qui le saura ? Non, non, ce n'est pas bien. Résiste, Molly. Marie a sans doute de bonnes raisons d'en avoir prévu douze à ouvrir l'une après l'autre.

Un thé, j'ai besoin d'un thé. Pendant que la bouilloire chauffe, j'opte pour un thé rooibos chocolat-vanille.

Je souris en pensant à ce que dirait Marie : *Arrête avec tous tes thés bizarroïdes, il n'y a que le darjeeling qui vaille.*

Rien que pour la faire enrager et déclencher son discours enflammé sur le thé, le vrai, je lui proposais chaque fois qu'elle venait une nouvelle sorte, plus improbable que la précédente. Le pire ayant été atteint avec le thé saveur fraisier...

Rien qu'une petite enveloppe ? La première, celle de décembre. Allez, juste pour avoir une idée de ce qui m'attend. Je l'ouvre vite fait, je lis et hop ! je la referme. Ce n'est pas complètement tricher si je fais simplement ça ?

Je verse l'eau chaude sur la boule à thé et retourne m'asseoir dans le salon. La pile d'enveloppes me nargue, toujours à sa place, comme un appel à les ouvrir. L'une d'elles me semble particulièrement grosse. Qu'est-ce que Marie a bien pu y mettre ?

C'est décidé, j'ouvre la première, celle du mois de décembre.

Je la prends sur le dessus de la pile et, par réflexe, regarde derrière moi. Comme si quelqu'un pouvait me voir, comme si Marie pouvait me voir !

Avec précaution, je décachète l'enveloppe. À l'intérieur, une petite feuille de papier et cinq billets de 20 euros. Je déplie la feuille :

Ha ha ! Je savais que tu serais trop curieuse et que tu n'attendrais pas pour ouvrir la première enveloppe !...

À ma grande surprise, je ne peux réprimer un rire. C'est bien Marie.

Tu te demandes comment je sais, avoue-le. Je te connais depuis qu'on a six ans, je te rappelle ! Et laisse-moi deviner, tu t'es servi l'un de ces thés infâmes avant d'ouvrir l'enveloppe ! Combien de fois faudra-t-il que je te le répète ? Le darjeeling, rien que le darjeeling !!!

De toute façon, même si l'enveloppe est ouverte, tu vas être obligée d'attendre le mois prochain pour réaliser mon premier vœu. Tu ne croyais pas non plus que j'allais me faire avoir ?!

Alors voilà, j'ai toujours rêvé d'avoir pour Noël un vrai sapin, pas un en plastique comme celui que ma mère s'évertue à décorer chaque année.

Un vrai sapin avec une odeur de nature. Et grand ! Au moins deux mètres. Avec plein de guirlandes lumineuses. Si j'avais eu le temps d'avoir un chez-moi...

Dis, Molly, tu achètes un sapin de Noël pour moi ?

P.-S. : Et que je ne te reprenne pas à ouvrir la prochaine enveloppe avant janvier. Sinon, je te jure que je viens te hanter.

P.-S. 2 : Tu vas me manquer, Molly.

P.-S. 3 : Enfin, sauf ton thé...

Je souris et essuie mes yeux de nouveau pleins de larmes. Un sapin de Noël, bien sûr. Elle a toujours admiré celui que faisaient mes parents chaque année sans réussir à convaincre sa mère que les épines sur le sol, ce n'était pas un problème.

— Tu me manques aussi, Marie. Je vais t'acheter un sapin de Noël. Le plus gros de chez Truffaut, tu verras !

4

8 novembre

— Un sapin de Noël ? C'est quoi, cette connerie ?
ricane Nicolas.

Nous sommes attablés depuis à peine quelques
minutes et Germain n'a pas pu s'empêcher de dévoiler
le contenu de la première enveloppe. J'aurais mieux
fait de ne rien lui dire.

— La dernière invention de Marie ! Ne me demande
pas pourquoi, j'ai renoncé à comprendre.

Je fusille Germain du regard. Il poursuit, un peu
penaud :

— Reconnais, mon poussin, que ce n'est quand
même pas banal, cette histoire de lettres. Sans compter
que cela ne va pas t'aider à faire ton deuil.

— Qui te dit que j'ai envie de faire mon deuil,
hein ? Faire son deuil, c'est comme oublier. Et moi,
je n'ai pas envie d'oublier. Je n'ai pas envie de ne
plus penser à elle. Grâce à ces enveloppes, elle sera
encore avec moi pour douze mois. Douze tout petits
mois. C'est si difficile à comprendre ?

J'ai un peu haussé le ton, provoquant les regards agacés de la table voisine. Les éclats de voix ne sont manifestement pas courants dans ce restaurant nouvelle cuisine du 16e arrondissement.

J'espère un peu de soutien de la part de Viviane mais décèle également de l'incompréhension dans ses yeux.

— Écoute, Molly, inutile d'être agressive. C'est un peu légitime qu'on trouve ça bizarre. Après tout, quelqu'un de normalement constitué… Enfin, je veux dire, personne ne fait ce genre de choses quand il meurt.

Seule contre trois.

— Je ne vous demande pas de comprendre. Simplement de ne pas juger. Je vais acheter ce sapin de Noël, je le ramènerai dans notre appartement et le décorerai avec plein de guirlandes lumineuses. Fin du débat.

L'interruption du serveur venu prendre nos commandes est bienvenue, un malaise ayant commencé à s'installer.

— Qu'est-ce qui te tente, mon poussin ? me demande Germain pour changer de sujet et détendre l'atmosphère.

— Je crois que je vais prendre les ravioles à la ricotta et consommé de langoustines.

— Tiens, je vais prendre comme toi. Deux, monsieur, s'il vous plaît, indique-t-il au serveur tout en refermant sa carte.

Le contraire m'aurait étonnée… Mais qu'est-ce qui me prend ? C'est comme si tout chez Germain s'était mis à m'insupporter.

Une Molly, ça mérite un John ou un Brad…

Pourquoi fallait-il que tu me dises ça, Marie ? Qu'est-ce que j'en fais, moi, maintenant ? Et puis, tu n'es même plus là.

— Je vais prendre le risotto aux truffes, poursuit Viviane.

— Et moi, le cabillaud rôti, termine Nicolas.

Le serveur reparti, chacun observe en silence le contenu de son verre. Des semaines que Viviane me parle de ce restaurant que lui vantent ses clients. Des semaines qu'elle me demande d'y aller avec elle parce que « tu comprends, à New York, fais comme les New-Yorkais ».

Le restaurant est plutôt sobre et élégant, petites tables rondes, nappes blanches, parquet ancien, boiseries. Ce n'est pas vraiment le genre d'endroit dans lequel je me sens très à l'aise. J'observe le ballet impeccable des serveurs et réalise à quel point moi, la serveuse d'*Au Grand Gourmet*, je suis encore novice ; pour autant, ils ne me font pas envie.

— Dis-moi, Molly, reprend Viviane, tu ne m'avais pas dit que tu rêvais d'être danseuse ?

— C'est du passé. Je… Ce ne sont pas forcément que de bons souvenirs, alors j'évite d'en parler.

— Oui, enfin sauf à Marie…

Je m'apprête à répliquer de manière cinglante, mais au ton de la voix de Viviane je sens combien elle est peinée de cette intimité que je partageais avec Marie. Et pas avec elle. Nous nous connaissions depuis si longtemps. Mais Viviane est aussi une amie chère et ça ne serait pas juste pour elle de lui interdire d'accéder à cette partie de ma vie.

— Je… Oui, j'ai fait de la danse classique pendant des années. J'adorais ça. Je voulais passer mes journées dans mon joli tutu blanc. Je rêvais de devenir danseuse étoile. Et puis… Enfin, un jour j'ai compris que ce monde-là n'était pas fait pour moi. J'ai tout arrêté. Et depuis, je n'ai jamais rechaussé mes pointes.

— Mais pourquoi ? me demande Viviane. Il s'est passé quelque chose de particulier ?

— Oui et non. Disons que j'en avais sans doute un peu assez de ne consacrer ma vie qu'à ça. La danse classique, c'est hyper exigeant. Sur tous les plans. Et puis, cette concurrence, cette jalousie entre filles… Un jour, je n'ai plus supporté.

Des images depuis longtemps enfouies me reviennent d'un coup en mémoire.

J'ai dix-sept ans, je suis dans ma chambre, allongée sur mon lit en train de sangloter. Quelques coups sur la porte, puis la tête de Marie dans l'entrebâillement.

— Je peux entrer ?

Sans me laisser le temps de répondre, elle est déjà à côté de moi, assise sur mon lit.

— Qu'est-ce qu'il se passe, Molly ? Ta mère m'a appelée en panique, en me disant que tu ne voulais pas sortir de ta chambre depuis des heures. Elle croit qu'on s'est engueulées toutes les deux.

— C'est rien.

— À d'autres ! T'as une de ces têtes ! Tu ne me feras pas croire, à moi, que tout va bien. C'est un mec ? C'est une histoire au lycée ? Allez, raconte-moi !

— C'est… Je crois que je vais arrêter la danse.

— Hein ?! Mais pourquoi ? Tu me rabâches tes histoires d'Opéra et de danseuse étoile depuis au moins dix ans ! Et là, tu me balances comme ça que tu vas arrêter ?

— Je... J'en ai marre, je crois. Et puis les filles... Enfin, je ne sais pas si j'arriverai à supporter toute cette méchanceté. Tout à l'heure, j'ai retrouvé des bouts de verre dans l'un de mes chaussons. Tu imagines ?

— T'es sérieuse ? Comme dans les films ?

— Ouais, comme dans les films. Heureusement, je les ai vus avant de mettre le pied dedans. Qui peut être assez méchante pour faire un truc pareil ? Non, c'est décidé, j'arrête.

— Juste pour une connerie comme ça ? Ça ira mieux demain, tu verras. Et de nouveau tu me farciras les oreilles avec ton *Lac des cygnes*.

— Non, je ne crois pas que ça ira mieux. J'en ai marre depuis quelque temps déjà. Danser, danser et encore danser. Ne surtout pas grossir. Faire ses exercices d'assouplissement tous les jours. Je n'éprouve plus de plaisir. C'est devenu... C'est comme une obligation maintenant, tu vois ?

Quelques semaines plus tard, j'avais trouvé le courage d'annoncer à mes parents que je voulais arrêter. Eux non plus n'avaient pas compris. Je n'y avais plus vraiment repensé, ou en tout cas j'avais fait en sorte de chasser aussi vite qu'ils arrivaient les regrets, et même les envies.

— Ça ne te manque pas ?

C'est Germain qui a posé la question. À lui non plus, je n'avais rien dit.

— Si, quelquefois. Je n'y ai jamais vraiment réfléchi, en fait.

— Et comme notre très chère Marie a remis ça sur le tapis… grommèle Viviane.

— Arrête, Viv. S'il te plaît. Je suis déjà suffisamment malheureuse qu'elle soit morte sans que tu n'y ajoutes tes sarcasmes. Et puis, vous risquez d'en entendre encore parler pendant les mois qui viennent. Alors, si c'est trop pour vous, vous pouvez partir dès maintenant.

Une nouvelle fois, j'ai haussé le ton, quelques toussotements des tables voisines me le font remarquer. Ce sera quoi, la prochaine étape ? Le froncement de sourcils scandalisé ?

C'était une mauvaise idée, ce dîner. Ni eux ni moi n'en avons envie.

— Je… Je crois que je vais vous laisser. De toute évidence, je n'ai pas l'humeur qu'il faut pour ce genre d'endroit. Je vous souhaite une bonne soirée.

Sans leur laisser le temps d'objecter quoi que ce soit, je me lève.

Je quitte la salle et me dirige d'un pas vif vers la sortie quand je sens quelqu'un qui me rattrape par le bras. Tiens, je n'aurais pas cru Germain capable d'un tel geste. Une douce chaleur se répand au creux de mon ventre. Je me retourne.

— Germain… Ah, c'est toi, Nicolas.

Je me disais aussi…

— Franchement, Molly, tu es injuste sur ce coup-là.

— Moi ? Injuste ?

— Oui ! Je sais bien que tu es malheureuse et que la perte de ta meilleure amie est tragique, mais Viviane ne mérite pas que tu la traites de cette manière.

— On ne dirait pas…

— Arrête, Molly. Elle était là le jour de l'enterrement. Elle a accouru quand tu l'as appelée en larmes à cause de ces lettres. Je trouve que tu es injuste avec elle.

J'ouvre la bouche pour répondre mais aucun mot ne sort. C'est lui qui a raison. Je suis en train de faire n'importe quoi et de me mettre Viviane à dos.

— Allez, viens, poursuit-il sur un ton radouci, on retourne s'asseoir.

D'un geste ferme, il me prend la main et me reconduit vers la salle du restaurant. Je me rassois et du coin de l'œil regarde Viviane. Elle semble sincèrement peinée. D'un geste je lui attrape la main sur la table.

— Excuse-moi, Viv. Je n'aurais pas dû m'emporter.

Elle me sourit.

— N'en parlons plus ! Je m'excuse aussi d'être parfois un peu… Enfin, tu vois…

À mon tour je lui souris.

— Tiens, mon poussin, voilà nos ravioles qui arrivent. Je meurs de faim, pas vous ?

5

14 novembre

Ça faisait des années que je n'avais pas pensé à la danse. Et là, depuis quelques jours, je n'ai que ça à l'esprit. Au plaisir que j'éprouvais à évoluer au rythme de la musique.

Hier, alors que j'étais seule à l'appartement, j'ai allumé la radio, et me suis surprise à fermer les yeux et à laisser mon corps se mouvoir. Lentement d'abord, comme s'il était un peu rouillé. Puis de plus en plus vite. Les chansons se sont enchaînées, et j'ai dansé, comme ça, toute seule, pendant plusieurs dizaines de minutes.

Lorsque je me suis arrêtée, le souffle un peu court, j'avais le sourire aux lèvres.

Comment ai-je pu oublier à quel point j'aimais danser ?

Je ne sais pas trop comment réagir. Vais-je reprendre de manière sérieuse, ou juste à l'occasion pour le plaisir ? Une chose est sûre, je vais danser à nouveau.

Enfin pas aujourd'hui, vu que je suis de retour au restaurant. M. Patterson est un être compréhensif et charmant mais il doit faire tourner sa boutique. Difficile, sans serveuse.

Depuis le début du service, il est plein de sollicitude. Il m'a demandé au moins vingt fois comment j'allais et si je me sentais mieux. Heureusement pour lui, je parviens désormais à contrôler mes larmes.

Je n'avais jamais vraiment cru à ces bêtises de temps qui passe et apaise les blessures. Pourtant, je ne peux que l'admettre, le temps est un allié. Et le quotidien, une belle béquille sur laquelle s'appuyer.

Vers 13 heures, j'ai la surprise de voir ma mère passer la porte du restaurant.

— Bonjour, ma chérie ! J'ai su que tu reprenais aujourd'hui alors je me suis dit que j'allais venir déjeuner pour papoter un peu avec toi.

Je note mentalement de ne plus jamais accepter de boulot auquel se trouve associé un ami de ma mère. Elle est au courant de tous mes faits et gestes plus vite qu'Usain Bolt ne court un cent mètres.

M. Patterson s'empresse de venir l'accueillir et l'embrasse sur la joue, un peu trop longuement à mon goût. Quand elle est en sa présence, ma mère minaude toujours un peu. Je sais qu'elle est simplement flattée de cet empressement, mais ça me met chaque fois mal à l'aise vis-à-vis de mon père.

— Maman, c'est gentil à toi d'être venue mais, je te l'ai déjà dit mille fois, je n'ai pas vraiment le temps de papoter avec toi pendant le service.

— Mais il n'y a presque personne ! rétorque-t-elle en regardant autour d'elle.

Elle a raison, il n'y a pas foule. J'ai servi tout au plus dix couverts depuis le début du service et seules trois tables sont encore occupées. Ce n'est pas habituel pour un samedi.

— C'est à cause de ce qui s'est passé hier, explique M. Patterson à ma mère d'un air sérieux. Les gens ont peur de sortir de chez eux. Ça me rappelle les attentats du 11 septembre. La peur avait gagné presque tout le pays.

— Tu ne connaissais personne parmi les victimes ? me questionne ma mère.

Son teint a pâli. Je sais ce qu'elle redoute, une nouvelle perte...

— Non, maman, rassure-toi, je ne connaissais personne.

— Dieu soit loué ! Tous ces pauvres gens assassinés et qui n'avaient rien demandé à personne, c'est vraiment atroce.

Elle se tait quelques secondes puis se tourne vers M. Patterson.

— Et sinon, James, qu'est-ce que tu nous proposes de bon au menu aujourd'hui ? J'ai une faim de loup !

Il passe un bras sous celui de ma mère et la conduit vers une table vide au fond du restaurant.

Je l'envie de pouvoir passer si facilement de l'attentat du Bataclan la veille au menu du jour.

Bien que résidant en France depuis des dizaines d'années, ma mère est restée américaine dans son cœur et dans ses réactions. C'est étrange de voir qu'aujourd'hui encore elle ne se sent pas vraiment concernée. Alors que pour l'attentat de Boston je sais qu'elle a passé plusieurs journées devant CNN, incapable de s'intéresser à quoi que ce soit d'autre.

Une fois le restaurant vide, quand il est évident que nous n'aurons plus personne, je vais m'asseoir avec ma mère.

Elle a commandé le plat du jour, un feuilleté au saumon, et semble se régaler.

— Dis, maman, je voulais te demander, comment va la mère de Marie ?

Je suis parcourue d'un frisson comme chaque fois que je prononce ce prénom. Je n'ai pas osé l'appeler pour le lui demander moi-même. Elle doit avoir suffisamment à faire avec sa propre peine.

— Ce n'est pas facile pour elle, ma chérie, tu t'en doutes. Avec ton père on passe la voir tous les jours. Et Sacha aussi est très présent. Il est bien, ce petit. Elle essaie de se focaliser sur des petites choses du quotidien.

Ce quotidien… Encore et toujours…

— Elle a entrepris un grand rangement de sa maison.

Un grand rangement… Tiens donc. Je souris intérieurement.

— Tu devrais passer la voir, tu sais. Ça lui ferait très plaisir. Et même si tu te mets à pleurer, ce n'est pas grave. Vous étiez les deux personnes les plus proches de Marie. Vous vous comprendrez.

— Oui, tu as sans doute raison. Je l'appellerai demain. Et sinon, je me demandais… Tu as gardé mes derniers chaussons de danse ?

— Pourquoi ?

— Oh, comme ça. J'y repensais avant-hier et je me demandais si tu les avais jetés.

— Ah ça non, je ne les ai pas jetés ! Jamais je n'aurais fait une chose pareille ! Ils sont dans un

50

carton en bas de ton ancienne armoire. Je me suis dit qu'un jour peut-être tu voudrais les avoir.

J'attrape la main de ma mère sur la table.

— Je crois que j'ai envie de danser à nouveau.

Le visage de ma mère s'illumine ; elle a toujours regretté que j'arrête, même si elle n'avait pas cherché à m'en dissuader. Puis la tristesse gagne son regard.

— C'est Marie, c'est ça ?

— Oui. Si tu savais à quel point elle me manque, maman…

— Je sais, ma chérie, je sais. Passe voir Charlotte, ça te fera du bien, j'en suis certaine. Ensuite, je sortirai ton carton d'affaires de danse.

6

16 novembre

Quand j'ai appelé la mère de Marie hier, je l'ai sentie sincèrement ravie de m'entendre. Elle a tout de suite accepté que je passe la voir, impatiente, j'imagine, de pouvoir échanger quelques souvenirs avec moi. Les souvenirs, c'est tout ce qu'il nous reste, après tout.

Mais maintenant que je suis là, je suis paralysée.

Chaque seconde qui passe, une nouvelle image me revient en mémoire. Je cligne un instant des yeux et je vois deux petites filles qui courent l'une après l'autre dans le jardin en riant aux éclats. Soudain l'une d'elles bute sur une des marches de l'allée et s'effondre de tout son long sur le béton. Elle saigne et pleure à chaudes larmes.

Machinalement, je porte la main à mon menton, et touche cette petite cicatrice qui ne m'a jamais quittée.

Je cligne de nouveau des yeux et deux adolescentes sont allongées sur l'herbe sous le grand chêne. Elles sont en maillot de bain, en train de faire le test psycho d'un magazine féminin. C'est leur passe-temps favori, ça et fantasmer sur Justin Timberlake.

— Tu n'entres pas ?

Je cligne à nouveau des yeux, mais il n'y a plus personne sur la pelouse. Je suis toujours derrière le portillon et Charlotte, la mère de Marie, a ouvert la porte d'entrée.

— Cela fait quelques minutes que je t'observe, me dit-elle. Tu vas prendre froid, allez viens, entre.

Devant mon silence, elle insiste, visiblement inquiète :

— Molly, tu ne te sens pas bien ?

— Pardon, Charlotte. Si, si, ça va. J'étais… Enfin…

— Je comprends. Moi aussi, tu sais, moi aussi.

Une fois à l'intérieur de la maison, les odeurs familières m'assaillent et je m'attends à voir Marie dégringoler les marches de l'escalier qui mènent à sa chambre d'un instant à l'autre.

— Alors Molly, comment vas-tu ?

Cette question me paraît incongrue mais je capte dans le regard de Charlotte cet appel qu'elle me lance. Ne pas s'apitoyer. Ne pas se mettre à pleurer. Parce que ce serait trop dur, pour elle comme pour moi.

— J'ai repris le travail la semaine dernière. Ah, et j'ai commencé un grand nettoyage de l'appartement !

Je la vois se détendre.

— Ha ha, oui. Germain me l'a dit. Il paraît que tu as envie de tout redécorer. Il ferait n'importe quoi pour te faire plaisir, tu sais.

— Oui, je me suis prise de passion pour la décoration intérieure ! En même temps, tu n'as pas vu l'appartement. On a l'impression qu'on va y croiser les grands-parents de Germain à tout moment.

— Moi aussi, j'ai entamé un grand tri, poursuit-elle en m'entraînant vers le salon. C'est fou ce qu'on accumule au cours des années. J'ai même retrouvé, tiens-toi bien, un programme télévisé datant de 1995 !

— Ah oui ? Et qu'y avait-il à la télé cette semaine-là ?

— Absolument rien ! De ce côté-là, ça n'a pas changé !

Je ris et m'assois sur l'un des deux fauteuils du salon. J'ai toujours adoré ces fauteuils. Profonds avec des accoudoirs et un dossier assez haut. Des fauteuils qui vous enveloppent et dans lesquels on peut se blottir.

Je cligne des yeux. Deux jeunes filles passent la porte d'entrée. Elles se précipitent à l'étage. L'une vient d'embrasser le mec le plus mignon du lycée, Paul Buisson. L'autre n'attend qu'une seule chose, qu'elle lui raconte tout dans les moindres détails.

En un coup de vent, elles ne sont plus là.

— Tiens, voilà ton thé, Molly.

Darjeeling. Bien entendu.

— Merci, Charlotte. Si Marie me voyait boire ce thé, elle n'en croirait pas ses yeux, dis-je en portant la tasse à mes lèvres.

— Tiens donc, et pourquoi ?

— Oh, elle ne jurait que par le darjeeling et moi, je teste sans cesse des tas de parfums différents. Ça la rendait folle.

Pendant quelques secondes, Charlotte semble ailleurs.

— Charlotte ? Ça ne va pas ?

— Si, si. C'est juste que l'autre jour, en faisant du tri dans sa chambre, je suis tombée sur un coffret contenant toutes sortes de thés. Je me demandais ce qu'il faisait là, je comprends maintenant, il devait sans doute être pour toi alors…

Les larmes me montent aux yeux et je réprime un sanglot.

— Pardon, Molly, je… Je ne voulais pas.

— Ce n'est rien, Charlotte. C'est moi. C'est stupide de réagir comme ça à cause d'une simple histoire de thé. Je vais me reprendre. Laisse-moi juste quelques secondes.

— Elle te manque, n'est-ce pas ?

Infiniment. Plus que je n'oserais l'avouer à sa mère.

— Oui.

Je repense aux lettres et m'étonne que Charlotte ne m'ait pas encore posé de questions à ce sujet. C'est elle qui les a postées.

— Tu te souviens de l'enveloppe qu'elle t'a demandé de poster ?

Son regard se met à briller

— Oui…

— Dedans, il y avait plusieurs enveloppes. Douze, pour être exacte. Une pour chacun des prochains mois. Des choses qu'elle avait envie de faire et qu'elle me demande d'exécuter à sa place. Tu vas sans doute trouver ça bizarre. Personne ne comprend…

— C'est tout à fait Marie, pourtant. Et je peux te demander quelle est sa première demande ? Sauf si tu as envie de garder ça pour toi, je comprendrais…

— Acheter un vrai sapin de Noël.

Elle cligne des yeux.

Une gamine de dix ans regarde anxieusement autour d'elle ; derrière son dos, elle cache une paire de ciseaux. Celle qui est dans le bureau de sa mère et qu'elle n'a pas le droit de prendre. Elle s'approche du sapin de Noël, celui qui est en plastique et qu'elle déteste par-dessus tout. Elle se dit que si elle en coupe quelques branches, ses parents devront le remplacer l'année prochaine, et qu'alors peut-être elle pourra les convaincre de prendre un vrai sapin…

7

5 décembre

— Mon poussin, tu sais, un sapin de Noël, c'est un sapin de Noël… Je te suggère de prendre celui qui est devant toi et qui a l'air très bien.

— Hors de question ! Je dois trouver LE sapin parfait. Celui qu'elle aurait choisi. Laisse-moi le temps de tous les détailler.

— Mais ça fait presque…

Je fusille Germain du regard.

— Bon, bon, très bien. Je vais aller prendre un café en face. Tu m'envoies un texto quand tu as terminé.

Je savais qu'il ferait une réflexion. C'est pour cela que je lui ai proposé de rester tranquillement à l'appartement. Mais non, il a tenu à m'accompagner, pour me soutenir. Tu parles d'un soutien.

En plus, je ne suis pas triste. Au contraire. Je suis tout heureuse de faire ça pour Marie. Comme si elle était avec moi en cet instant. Elle adorait Noël, même si le décès de son père avait terni quelque peu la joie de cette période de l'année.

J'écarte un sapin puis un autre, et là, derrière, il est là, le sapin parfait. Grand et bien fourni. D'un geste je le désigne au vendeur qui lui aussi commençait à désespérer que je fasse un choix.

Maintenant, les guirlandes lumineuses et les décorations.

Quinze minutes plus tard, c'est chargée comme une mule que je me présente devant la caissière. J'ai pris de quoi décorer au moins trois sapins. Quand on ne peut pas choisir, eh bien on ne choisit pas. J'ouvre mon sac à main pour en sortir l'enveloppe contenant l'argent laissé par Marie. Au moment de quitter l'appartement, j'ai hésité avant de le prendre. Ça m'a semblé presque déplacé de l'utiliser pour un achat que je pouvais largement faire moi-même.

— Ça fera 162,99 euros, s'il vous plaît.

Peut-être que j'ai eu la main un peu lourde sur les guirlandes lumineuses… Je tends les billets ainsi que ma carte bleue. Derrière la caisse, il y a un présentoir avec des petits carnets fleuris. Je ne peux détacher mes yeux des lettres entrelacées dans le coin droit : M&M.

— Je vais prendre un de ces carnets également.

— Ça fera 4,99 euros.

Je me demande si cette dame répond à toutes les phrases par un prix en euros. Ce serait assez drôle. « Comment vas-tu, Gertrude ? – Ça fera 6,99 euros. – Et les enfants ? – Ça fera 32,95 euros. » Je pouffe et sors un billet de 5 euros de mon portefeuille.

— Ah, et je me demandais, est-ce que ce serait possible de faire livrer le sapin ? Parce qu'il est quand même un peu grand et je suis en métro… J'ai peur que les gens me regardent d'un drôle d'air.

— Ça fera 19,99 euros de livraison.

Je tente un sourire, elle me rend ma carte bleue. J'attrape les sachets de décoration, range le petit carnet dans mon sac à main et sors rejoindre Germain. Il est écrit que ma relation avec la caissière n'ira pas plus loin.

— Mais tu as acheté de quoi décorer toute la ville ?

— N'importe quoi ! Tu verras, il sera magnifique avec toutes ces guirlandes.

Je regarde Germain, ses grands yeux bleus qui laissent exprimer tout l'amour qu'il a pour moi, sa fossette craquante. Je lui colle un rapide baiser sur les lèvres. Et si on allait se balader ? Il fait froid mais il y a un beau soleil. On pourrait aller faire un tour au jardin du Luxembourg, main dans la main. Et puis pourquoi pas un ciné et un restau ? Des semaines que je ne me suis pas sentie aussi bien.

Pourquoi est-ce que j'aurais besoin d'un John ou d'un Brad ? Un Germain, c'est très bien, un Germain.

— On rentre, mon poussin ? Je ferais bien une petite sieste.

Misère…

Satisfaite[1], je contemple depuis de longues minutes le sapin lumineux[2]. Dès l'arrivée du livreur, j'ai lâché pinceaux et pots de peinture pour m'atteler à cette tâche.

Pas une seule branche n'est dénuée de guirlande lumineuse. Il y en a de toutes les couleurs. Tout à

1. Inutile de faire un lien entre « sieste » et « satisfaite », vous vous fourvoyez…
2. Qu'est-ce que je vous disais !

fait comme Marie l'aurait voulu, j'en suis certaine. Il n'y a pas de thème, pas vraiment de symétrie, mais peu importe. Il est imposant, il brille, il sent bon le sapin, tout est donc parfait.

Comme il me reste encore quelques décorations, j'en profite pour en mettre un peu partout dans la pièce et également sur le balcon. Ma mère a importé avec elle cet amour de Noël et me l'a transmis. Il faut dire qu'aux États-Unis Noël est une véritable institution. Pas une maison qui ne soit entièrement décorée, intérieur et extérieur. Je me souviens que, la première fois que je suis allée à Chicago pour rendre visite aux cousins de ma mère, j'étais restée sans voix devant les maisons du quartier. Je m'étais dit que les gens devaient être drôlement riches pour pouvoir s'acheter autant de guirlandes.

Assise en tailleur, ma salopette de peintre en herbe toujours sur le dos, je souris puis m'adosse au canapé. Mon sac à main est posé sur la table basse et j'aperçois dépasser le petit carnet acheté tout à l'heure.

À genoux, je m'approche du sac pour le prendre ainsi qu'un stylo au hasard dans le fond.

Je caresse du doigt les deux M entrelacés en surépaisseur puis l'ouvre à la première page pour commencer à écrire :

5 décembre

Marie,

Oui, je sais, on est seulement le 5 décembre, Noël est encore loin mais je n'ai pas pu résister. Tu le verras, il est si beau ! Ah, et la caissière de la jardinerie, tu l'aurais adorée.

Tu me manques.

P.-S. : J'ai bu du darjeeling chez ta mère, comme quoi tout arrive. Elle tient le coup, ne t'en fais pas.

Bises

Molly

– 8 –

24 décembre

Devant le miroir, je me tourne et me retourne pour admirer encore et encore le tombé de cette robe fabuleuse dénichée à la dernière minute. Une robe de satin vert avec jupon qui m'arrive juste au-dessus du genou, avec une jolie découpe Bardot qui met en valeur la finesse de mes bras. Le vert, il paraît que c'est difficile à porter. Mais pour moi qui suis rousse, cette couleur s'accorde parfaitement avec mon teint pâle et mes yeux gris.

J'ai tenté les chaussures à talons, sauf qu'avec mon mètre soixante-quinze j'ai l'impression d'être une géante. Et puis, j'ai toujours eu horreur d'être plus grande que les hommes avec lesquels je sors. Comme une faute de goût. Germain n'étant pas très grand, je me suis donc rabattue sur des ballerines noires toutes simples.

Lui aussi est sur son trente et un, costume sombre, chemise blanche, cravate bleu nuit qu'il peine à nouer depuis plusieurs minutes.

— Eh bien, on dirait que tu es nerveux ? Ce n'est pourtant pas la première fois qu'on dîne chez mes parents.

— Oui mais là, c'est important.

J'éclate de rire.

— Parce que le Père Noël va passer, c'est ça ? À ton âge, tu crois encore au vieux bonhomme en rouge et barbe blanche ?

Il se tourne vers moi, la cravate toujours dénouée autour du cou.

— Moque-toi ! Il n'y a pas de mal à vouloir faire une bonne impression.

— Oh, tu sais, il te suffira d'abreuver ma mère de compliments sur sa cuisine et plus particulièrement sur la farce de sa dinde pour qu'elle te voue un culte éternel.

— Je suis sérieux, mon poussin, c'est important, ce que tes parents pensent de moi.

— Mais moi aussi, je suis sérieuse. Allez, viens là que je t'aide à nouer cette cravate.

Il fait quelques pas vers moi et je reproduis les gestes que mon grand-père m'a enseignés il y a de cela des années.

Une femme doit savoir nouer la cravate de son mari ! me disait-il. Au grand désespoir de ma mère qui luttait sans cesse contre cette volonté de me transformer en parfaite épouse et femme au foyer. « Tu ne vois pas, papa, que ta petite-fille va devenir danseuse étoile ?! Elle n'aura que faire de savoir nouer une cravate. C'est plutôt son mari qui lui lacera ses chaussons de danse, tu verras ! »

— Et voilà, c'est parfait comme ça.

— Merci, mon poussin.

Il m'attire contre lui et m'embrasse. Ses mains dans mon dos sont moites. Peut-être qu'il a peur de se retrouver devant un piano à devoir entonner des cantiques de Noël, lui qui chante comme une casserole.

— Détends-toi ! Il n'y a vraiment pas de quoi avoir peur.

Il desserre son étreinte et plonge son regard dans le mien, comme s'il cherchait quelque chose.

— En fait, je voulais attendre un peu pour… Mais enfin voilà…

De sa main droite il fouille dans la poche intérieure de sa veste et en ressort un petit écrin en velours rouge.

— Mon poussin, je veux dire Molly, je sais que ça ne fait pas longtemps qu'on est ensemble, mais je t'aime et je n'ai pas besoin d'attendre plusieurs années pour être sûr que c'est avec toi que j'ai envie de passer le reste de ma vie.

D'un petit geste, il ouvre l'écrin, dévoilant une bague dont le diamant étincelle. Un gros diamant.

— Il est à ma grand-mère, poursuit-il en réponse sans doute aux yeux qui viennent de me sortir de la tête.

— Germain… Cette bague est magnifique ! Alors là, si je m'attendais à ça. Mais, enfin, nous…

— Prends ton temps, ne me donne pas de réponse tout de suite.

Mes yeux n'ont pas quitté le bijou. Nous sommes la veille de Noël, en tenue de fêtes, et l'homme qui partage ma vie, certes depuis peu de temps, me demande en mariage. Il ne manque plus que la neige dehors et de la musique douce pour que l'on soit projeté dans une comédie romantique sur grand écran.

Une Molly, ça mérite un John ou un Brad...

Je balaie mentalement cette réflexion. Dans ma vie, il n'y a ni John, ni Brad. Mais un Germain. Un Germain qui m'aime et qui a envie de passer sa vie avec moi. Est-ce que ce n'est pas suffisant pour épouser quelqu'un ? Et puis il est si gentil...

— Je... Oui. Je veux bien t'épouser.

Un immense sourire éclaire le visage de Germain. Il m'attire alors contre lui.

— Tu verras, je ferai tout pour te rendre heureuse, mon poussin. Tout.

Je sens ses mains qui commencent à ouvrir la fermeture Éclair de ma robe, sa bouche mordille le lobe de mon oreille avant de descendre dans mon cou. Une douce chaleur m'envahit. Voilà une partie du tout qui me paraît agréable.

— Germain... On va être en retard...

Ma fermeture Éclair remonte aussi vite qu'elle est descendue, emportant avec elle la douce chaleur.

— Tu as raison. Je ne voudrais pas faire attendre mes futurs beaux-parents. Et puis nous allons nous marier, nous aurons toute la vie pour les galipettes[1].

Toute la vie...

— Mais ma chérie, c'est fantastique ! *I'm so happy for you, guys !*

Nous étions à peine arrivés chez mes parents que Germain avait déjà demandé ma main à mon père. Comme en 1830. Tous les deux s'étaient

---

1. « Galipettes »... Étrange vocabulaire. Enfin, pour qui n'est plus en maternelle, j'entends.

ensuite donné cette accolade typiquement mascu-line, accompagnée d'un clin d'œil genre tu fais désormais partie du club. Il ne manquait plus que la poignée de main, comme pour valider une transaction commerciale.

Ma mère est enchantée et en admiration devant la bague.

— Elle était à sa grand-mère.

— Avez-vous fixé une date ? Non parce qu'il va falloir malgré tout s'organiser pour que la famille puisse venir de Chicago.

— Tu sais, maman, c'est tout récent, on n'a pas encore réfléchi à cette question...

— J'avais pensé au 17 septembre, moi, coupe Germain en se tournant vers moi. Je me suis renseigné. La mairie et l'église sont libres.

— Le 17 septembre, de cette année ? L'église ?

— Bien sûr, si tu veux une autre date, je me renseignerai, mon poussin.

— Euh... Non... Enfin, il faut peut-être qu'on en discute tous les deux.

— Le 17 septembre, ça devrait pouvoir se faire, poursuit ma mère. Il faut absolument que j'appelle ta tante. Elle qui meurt d'envie de venir à Paris. Tiens, je vais l'appeler tout de suite pour lui annoncer la nouvelle.

— Mais maman...

Inutile d'insister, elle est déjà en train de composer le numéro lorsque Charlotte et Sacha sonnent à la porte. Aussitôt ma mère raccroche sans trop se préoccuper que quelqu'un ait pu éventuellement décrocher de l'autre côté de l'Atlantique.

— Charlotte ! Tu ne vas jamais le croire ! Notre Molly va se marier ! Germain lui a fait sa demande ce soir. N'est-ce pas merveilleux ? *And so romantic !*

Charlotte et Germain échangent à leur tour un clin d'œil. C'est une sorte de mot de passe pour un club secret ou quoi ? Elle était donc dans la confidence. Sacha, lui, n'a pas dit un mot et ne me quitte pas des yeux.

— Félicitations à tous les deux. Je suis certaine que Marie serait très heureuse pour toi, me dit Charlotte en m'embrassant affectueusement.

Rien n'est moins sûr…

— J'espère que toi et Sacha êtes disponibles le 17 septembre, demande ma mère à Charlotte. C'est la date qu'ils ont fixée.

Bon, je crois que je me marie le 17 septembre finalement.

9

25 décembre

— Tu n'as rien dit, à propos du mariage…

Sacha et moi sommes dans la cuisine de mes parents à déposer les assiettes sales dans le lave-vaisselle pendant que les rires fusent du salon. Il est près de 2 heures du matin. La soirée a été sympathique, Germain a bien suivi mes conseils et complimenté ma mère sur sa cuisine. À tel point qu'elle lui donne désormais du « mon gendre » à tout bout de champ.

— Que voulais-tu que je dise ? me répond Sacha en s'adossant au plan de travail, jambes croisées.

— Que tu es content pour moi. Que c'est une chouette nouvelle. Tu es un peu comme mon petit frère.

— La vraie question, c'est : est-ce que toi, tu es heureuse ? Si c'est le cas, alors oui, je suis très heureux pour toi.

— Bien sûr que je suis heureuse ! Pourquoi est-ce que j'aurais dit oui sinon ?

— Je ne sais pas, moi, à toi de me le dire.

Je cherche une réplique imparable mais, telle une vieille éponge oubliée sur un coin d'évier, je reste sèche.

— Tu sais quoi ? Tu es vraiment un petit con. Marie avait bien raison.

— Nous y voilà.

— Comment ça, « nous y voilà » ?

— Marie. Tu es contrariée parce que tu sais ce qu'elle pensait de Germain. Et tu voudrais que je te félicite, ça annulerait en quelque sorte.

— N'importe quoi ! Tu divagues complètement, mon pauvre. Ce n'est pas parce que Marie trouvait que Germain n'était pas fait pour moi qu'elle avait raison. Et si je voulais avoir ton avis, eh bien c'est juste parce que tu comptes aussi pour moi. Voilà tout. Maintenant, tu peux très bien continuer à me sortir ta psychologie de comptoir, ça m'est complètement égal.

Je referme d'un geste sec la porte du lave-vaisselle et quitte la cuisine. Pourquoi est-ce que je me mets dans des états pareils ? Je me fiche de ce que peut bien penser Sacha. Germain est un type gentil, il fera tout pour me rendre heureuse. Pourquoi aurais-je refusé sa demande en mariage ? Quelle fille normalement constituée n'accepterait pas de partager sa vie avec quelqu'un qui l'aime si fort ?

— Ça n'a pas l'air d'aller, mon poussin ?

— Si, si, ça va. Je suis juste un peu fatiguée. Il est tard. Je vais me coucher.

Après l'avoir embrassé ainsi que mes parents et serré Charlotte dans mes bras, je monte dans ma chambre.

Vu l'heure tardive, nous avons décidé de passer la nuit ici.

La pièce est restée telle que je l'ai quittée. Même papier peint fleuri, mêmes rideaux couleur lavande. Ma mère n'a rien voulu changer, pas même les photos de Justin Timberlake punaisées au-dessus du bureau. J'y jette un coup d'œil ; il était quand même canon, le petit Justin, il faut le reconnaître.

Sur le lit, se trouve un carton ; je m'approche pour regarder ce qu'il contient. L'émotion me prend par surprise. Mes chaussons de danse. Et mon tutu. J'attrape les chaussons pour respirer leur odeur. Je ferme les yeux. Je suis propulsée quinze ans en arrière. Les premières notes du *Lac des cygnes* commencent à résonner dans ma tête.

— Tu es certaine que ça va ?

Germain se tient derrière moi et m'enlace. Je remets les chaussons dans le carton et le pose par terre.

— Mais oui. C'est juste que…

— C'est à cause du mariage ? Tu aurais voulu que je ne dise rien à tes parents ?

— Non, ce n'est pas ça. Mes parents sont très heureux de cette nouvelle, tu as bien fait.

— Et toi, Molly ? Tu es heureuse ?

Je me retourne vers lui et passe mes bras autour de son cou.

— Bien sûr que je suis heureuse. Qui ne le serait pas à ma place ?

Il pose ses lèvres sur les miennes. Un baiser doux puis plus pressant. Ses mains sont dans mon dos et s'attaquent de nouveau à la fermeture Éclair.

— Ici ? Chez mes parents ?

— Molly, murmure-t-il sans cesser de m'embrasser, j'ai fermé la porte à clé, ne t'en fais pas. Et puis, on a quelque chose à fêter. J'ai tellement envie de toi. Tu es si belle dans cette robe.

La fermeture Éclair descendue, il dégage le tissu de mes épaules et la robe tombe à mes pieds. Ses yeux sont emplis de désir. Il m'aime et m'a demandé de l'épouser. Après tout, nous ne faisons rien de mal.

D'un geste, il m'allonge sur le lit, dégrafe mon soutien-gorge et sa bouche quitte la mienne pour attraper l'un de mes seins. J'essaie de me laisser aller, de ne pas penser que nous sommes dans ma chambre d'adolescente. Il me mordille le mamelon, un peu trop fort sans doute, c'est douloureux. Puis il glisse sa main sous l'élastique de ma culotte pour la faire descendre. Sa main remonte lentement le long de ma cuisse et il s'allonge sur moi. Nous allons nous marier. Le 17 septembre. Ses caresses se font plus pressantes, puis je le sens en moi. C'était une mauvaise idée de faire ça ici.

Il me murmure à l'oreille qu'il m'aime avant d'être emporté par le plaisir.

Il m'aime.

Et je l'aime, moi aussi.

Enfin, je crois.

Au petit matin, c'est un peu gênée que j'entre dans la cuisine. Ma mère est déjà en train de s'affairer devant les fourneaux. Et s'ils nous avaient entendus ? Je ne crois pas que nous ayons fait beaucoup de bruits, et si bruits il y a eu, de toute façon ça n'a pas duré bien longtemps.

— Bonjour, maman. Et joyeux Noël !

— Ah, ma chérie, tu es déjà debout ? Tu ne profites pas de cette matinée pour rester un peu au lit avec ton futur mari ? me dit-elle en me gratifiant d'un petit clin d'œil et d'un sourire.

— Maman !

— Quoi ?! C'est naturel de vouloir être câlinée par son homme, non ? continue-t-elle tout en attrapant du pain de mie pour le faire griller. Germain est si gentil. Tu sais que tu as beaucoup de chance. Hier, pendant que tu étais dans la cuisine, il n'a cessé de nous répéter combien il t'aimait et allait prendre bien soin de toi.

— Sauf que je ne suis pas un animal, grommelé-je.

— Qu'est-ce que tu dis, ma chérie ? me demande ma mère.

— Rien, maman, rien. Oui, c'est vrai que j'ai beaucoup de chance.

— Tiens, j'ai pensé que pour le mariage on pourrait engager une chorale gospel. L'autre jour j'ai vu une affiche chez le boucher, je pourrais les appeler, si tu veux.

— On a tout le temps, non ? Je ne me marie pas demain.

Ma mère se retourne pour déposer dans les assiettes placées sur la table l'omelette dont elle a le secret.

— Le mois de septembre va arriver vite. Moins d'un an pour organiser un mariage, c'est peu. Donc, le plus tôt sera le mieux. Je suis si contente. Ma fille unique se marie !

Je baisse les yeux vers le diamant qui orne mon annulaire. Dans moins d'un an.

Je visualise déjà les faire-part de remerciements. M. et Mme Germain Delatour sont heureux de vous avoir compté parmi leurs invités le 17 septembre en l'église Saint-Machin-Chose. Ils vous remercient de s'être associés à leur bonheur et bla-bla-bla...

— Ma chérie ? Tu es perdue dans tes pensées ?
— Hein, tu disais, maman ?
— Je te demandais si tu voulais du pain perdu ?

Perdue ? Ah oui, c'est bien ça, perdue...
Perdue comme une chaussette orpheline au milieu d'un panier de linge.
Mais avec un gros diamant au doigt.

10

4 janvier 2016

Perdue de chez perdue. Complètement perdue. Jamais on ne croirait que je suis fiancée et que je vais épouser l'homme que j'aime. On dirait plutôt qu'un énorme caillou de dix tonnes est désormais bien logé au fond de mon estomac.

Germain, lui, n'a jamais été aussi heureux. Il faut croire, parce que nous n'avons jamais autant fait l'amour que depuis qu'il m'a fait sa demande. Enfin, « nous »… Lui en tout cas. Parce que moi… Je me contente d'émettre les sons qu'il faut au moment où il faut. La culpabilité que je ressens augmente du coup un peu plus chaque jour. Je me sens prise au piège, sans personne à qui pouvoir me confier.

Ma mère pour commencer m'appelle maintenant quatre fois par jour pour me faire part de ses idées concernant notre mariage. La dernière en date : une arrivée en calèche. La fille d'une de ses amies a fait ça et c'était trop *lovely*, m'a-t-elle seriné hier. Il te faut une calèche, Molly ! Une calèche, un vélo ou même un tank, je m'en fiche complètement. Plus le temps passe et plus je réalise que la dernière chose dont j'ai envie c'est de me marier. Je préfère ne pas ajouter « avec Germain ». Alors qu'en réalité c'est lui, le problème.

Chaque jour j'ajoute une ligne à la liste des choses qui m'horripilent chez lui. Cette manie qu'il a par exemple de me demander de mettre mes chaussons. « Mets tes chaussons, mon poussin, tu vas prendre froid. » Est-ce que j'ai l'air d'avoir quatre-vingts ans ? Non ! Et si ça me plaît, à moi, de marcher pieds nus ?

Ah, et ce matin, quand il m'a fait tout un discours sur l'importance d'ouvrir un plan épargne logement. Mes tartines m'en sont restées sur l'estomac. Et pourquoi pas une retraite complémentaire, pendant qu'on y est ? Après tout, on n'est jamais trop prudent.

Sans oublier sa passion pour Joe Dassin. Joe Dassin, quoi ! Une fois de temps en temps dans un karaoké, ça passe encore, mais en fond sonore pendant les repas... Ça et le plan épargne logement, bonjour les crampes intestinales !

Viviane ensuite, elle a poussé un cri de joie lorsqu'elle a vu ma bague. Bague qu'elle a aperçue quelques secondes à peine après que je me suis assise au restaurant hier.

— C'est pas vrai ! Ne me dis pas que c'est ce que je crois ?!

— Oh, ça... C'est une bague de fiançailles. Germain m'a demandée en mariage.

— Et tu as dit oui, a-t-elle poursuivi, me gratifiant d'un immense sourire après avoir poussé un deuxième cri de joie.

— Comment peux-tu en être aussi sûre ?

— Eh bien, déjà, tu portes la bague, ce qui est quand même un signe évident. Et ensuite, Germain est le type qu'il te faut. Il est gentil, attentionné, il se mettrait en quatre pour toi. N'importe quelle fille serait folle de joie. CQFD.

Ne jamais prendre une avocate pour amie, jamais.

— Si tu le dis…

Elle avait enchaîné sur les choses à prévoir et celles à éviter pour le jour J, me racontant par le menu les préparatifs de son mariage avec Nicolas.

Bref, pas vraiment le moment pour la jouer « la mariée a des doutes », comme dans *Quatre Mariages et un enterrement*.

La seule chose qui me réjouisse depuis cette demande, c'est la nouvelle couleur d'un des murs du salon, celui qui le sépare de la chambre. Rien à voir, je sais.

Après une longue réflexion et des heures à arpenter les rayons « peintures » des magasins de bricolage, j'ai opté pour un bleu, mais pas n'importe quel bleu, un bleu paon, qui s'harmonisera parfaitement avec le parquet gris clair que j'ai décidé de faire poser. Ainsi qu'avec le canapé jaune que j'ai convaincu Germain de commander. En réalité, il n'a pas été difficile à persuader. Il m'a dit « si ça te plaît, ça me plaît aussi », me donnant immédiatement envie de lui arracher les yeux. Sentiment aussitôt refoulé et remplacé par de la culpabilité en redécouvrant le diamant qui orne désormais mon annulaire.

Alors que je contemple à nouveau ce magnifique mur, mon tout premier en tant que peintre-décoratrice d'intérieur, je réalise que le sapin de Noël est toujours là. Il est un peu triste à voir, avec ses branches pointant vers le bas, sèches comme une éponge en manque d'eau et d'une belle couleur vert caca d'oie. Il serait temps de l'enlever.

Le cœur un peu gros, je commence à défaire une guirlande lumineuse et, sans que j'y puisse quoi que ce soit, l'image de Marie apparaît. Oh, je sais ce qu'elle aurait pensé de toute cette histoire de mariage. Elle n'aurait cessé de me harceler, de me dire que je faisais une erreur, qu'on ne se mariait pas à moins de trente ans, que Germain n'était pas fait pour moi. Elle aurait désapprouvé de toutes les fibres de son être. Mais elle n'est plus là. Alors que Germain, si.

Une fois les guirlandes défaites et rangées dans leurs boîtes, le sapin est à l'image de mon moral. Et ce n'est pas beau à voir.

Je m'assois sur le canapé, les genoux repliés et, histoire de rompre le silence qui règne dans la pièce, j'allume la télévision. Il est quasiment 20 heures. Germain m'avait prévenue qu'il rentrerait tard, une histoire d'échéance fiscale pour un client ou un truc du genre. Vis ma vie de future femme de comptable, quoi.

— *Mesdames, messieurs, bonsoir, nous sommes le 4 janvier 2016, dans les titres de l'actualité aujourd'hui...*

Une guerre ? Un drame ? Une averse de grêle détruisant des centaines d'hectares de culture ? Je sens qu'il ne faut pas trop que je compte sur la petite dame derrière l'écran pour me remonter le moral.

— *... du jamais-vu pour un 4 janvier...*

Tiens, qu'est-ce que je disais ! Soudain, c'est comme une alerte qui retentit dans mon crâne. La date. On est le 4 janvier ! Marie, les enveloppes ! Je me précipite dans la chambre pour ouvrir le tiroir de la commode près du lit. Elles sont soigneusement rangées, attendant que je les lise. Je prends celle qui concerne le mois de janvier et la déchire, un peu fébrile.

Molly,
Je te souhaite une bonne année !!! Oui, je sais que c'est un peu bizarre de te souhaiter ça alors que je suis morte... Mais la vie continue pour toi et je suis sûre que cette année 2016 sera belle, vu que tu m'as promis de la vivre à fond. D'ailleurs, j'espère que tu as commencé ! Si ce n'était pas déjà fait, je mourrais d'envie de savoir si tu as balancé Germain à coups de pied dans le derrière. Mouha ha ha, pardon pour l'humour noir, mais si je ne fais pas de blague sur ma mort, qui le fera...

Mal à l'aise, je tourne ma bague autour de mon doigt.

... Sinon, en ce qui concerne mon souhait de janvier, je ne sais pas si tu te souviens mais l'année dernière j'étais partie à la montagne pour une semaine de ski avec Sacha et des copains à lui. Ouais, en l'écrivant je me rends compte à quel point cela fait fille désespérée de squatter avec son petit frère et ses potes. Tant pis, j'assume.

Il était prévu que l'on remette ça cette année. Je pourrais le tenter en mode fantôme, tu me diras, mais pas sûre que ça fonctionne très bien...

Et puis il y a Sacha. Il n'en montrera rien mais je suis certaine que ça va être dur pour lui.

Alors voilà, je voudrais que tu partes à ma place pour un week-end à Grenoble. Et que tu l'accompagnes.

Enfin, plus probablement que tu le forces à y aller...

Neige…

Vitesse…

Moi qui ne suis jamais montée sur des skis, je m'en réjouis d'avance.

11

5 janvier

— Tu es sûre que c'est ma taille ? Non, parce que là j'ai vraiment l'air d'avoir dévoré quelqu'un au petit déjeuner.

— Mais oui, c'est tout à fait ta taille, me répond Viviane. Elle te va à ravir, cette combinaison de ski.

Viviane, l'avocate brillante, est aussi une mordue de sports d'hiver. De sports d'hiver en rose fluo, détail important à préciser.

— Mais pourquoi cette couleur, Viv ? Il n'existe pas de combinaison moins… disons moins voyante ? Noir ? Ce serait parfait, noir.

— C'est pour les avalanches. Comme ça on te retrouve plus facilement.

— Comment ça, les avalanches ? Tu veux dire que les pistes ne sont pas sécurisées ?

Elle éclate de rire.

— Je ne suis pas fan de cette histoire de lettres de Marie, mais j'avoue que rien que pour voir ta tête en ce moment, ça valait le coup.

Je dézippe la fermeture et m'extirpe péniblement de la combinaison censée m'accompagner sur les pentes enneigées. Et donc glissantes.

— Moque-toi. Je n'ai jamais fait de ski et toi, tu me parles d'avalanche, avoue qu'il y a de quoi paniquer. Et puis d'abord, pourquoi est-ce que tu ne peux pas venir avec nous ?

— Je te l'ai dit, Nicolas participe à une course avec son club de vélo et je lui ai promis d'être là pour l'encourager. C'est un peu la folie en ce moment au cabinet et on ne se voit pas beaucoup tous les deux.

— Il sera sur son vélo, tu le verras passer en coup de vent, c'est pas ce que j'appelle passer du temps ensemble.

Elle lève les yeux au ciel et enchaîne :

— Et Germain ? Il ne veut pas venir ?

— Il a un truc entre comptables[1].

— Ah…

— Ça fait rêver, hein ?

— Oui ; bon. Mais est-ce que tu en as parlé à Sacha au moins ? D'après ce que tu m'as lu, c'est surtout ça qui a l'air de compter pour Marie, non ?

— J'ai voulu cent fois lui téléphoner mais je n'en ai pas encore eu le courage.

— Mais pourquoi ?

— Disons que la dernière fois que nous nous sommes vus ça n'a pas été… Il m'a dit un truc qui m'a énervée. Et même si en fait il a sans doute raison, enfin bref, on s'est un peu engueulés.

— Je ne comprends rien du tout à ce que tu racontes !

1. Zzzz…

— Inutile que je te dise pourquoi, mais je l'ai traité de petit con, alors je me sens plutôt mal à l'aise à l'idée de l'appeler pour lui proposer un week-end au ski.

— Ça n'aide pas, en effet.

Pourtant, il va bien falloir que je me décide. Grenoble se rapproche à grands pas. Et pour l'instant, à part la combinaison rose fluo, je suis loin du compte.

— Dis, Molly, je me demandais... tu vas vraiment faire tout ce qu'il y a dans les lettres de Marie ? me questionne soudain Viviane.

— Écoute, Viv, on ne va pas revenir là-dessus encore une fois...

— Non, pardon. C'est juste que... Je me demandais... Enfin... Est-ce que tu aurais fait tout ça pour moi ?

Je stoppe la phrase un peu moqueuse que je m'apprêtais à balancer lorsque je m'aperçois que Viviane est tout ce qu'il y a de plus sincère.

— Je... Bien sûr, Viv. Marie et toi, vous êtes mes deux meilleures amies. Avec Marie, on était très proches parce qu'on se connaissait depuis toujours. Si ça avait été toi... Évidemment que j'aurais fait pareil. N'en doute pas.

Je m'approche d'elle et la serre dans mes bras. Je n'avais pas imaginé que cette situation provoquerait ce genre de réflexion chez Viviane. Elle, si raisonnée, si sérieuse.

— Si jamais je meurs avant toi, prépare-toi, alors, conclut-elle, la voix pleine d'émotion : j'ai toujours rêvé de tenir une mygale dans la main.

12

6 janvier

Ce n'est tout de même pas compliqué de parler à Sacha de cette histoire de week-end ! Ce n'est pas comme si je lui demandais de faire un casse avec moi ou d'être mon complice pour éliminer un ennemi de Marie.

Alors pourquoi est-ce que je n'y arrive pas ? Quand j'y repense, il n'a fait que me demander si j'étais heureuse de la demande en mariage de Germain. Et me rappeler que Marie aurait désapprouvé. Mais lui n'a rien dit de tel. Et moi, je me suis emportée. Lui qui vient tout juste de perdre sa sœur.

Devant la porte de Charlotte, je me décide à frapper. J'ai l'espoir que ce soit elle qui ouvre, histoire de gagner encore quelques minutes. Espoir de courte durée.

— Bonjour, Sacha, je ne te dérange pas ?

— Euh... Si tu veux voir ma mère, elle n'est pas là. Elle reviendra d'ici une petite heure, je pense.

— Non, ce n'est pas ta mère que je viens voir mais toi.

Interloqué, il s'efface pour me laisser entrer dans la maison.

— On peut s'asseoir ? Il faut que je te parle de quelque chose.

— Après toi, répond-il en me désignant le salon.

Je prends place dans l'un des fauteuils et attends quelques secondes qu'il s'assoie à son tour.

— Je ne sais pas si ta mère t'a parlé des lettres de Marie. Celles que je dois ouvrir chaque mois.

— Ma mère n'avait pas besoin de m'en parler. J'étais au courant. Marie m'avait demandé ce que j'en pensais et je lui avais dit que je trouvais ça morbide.

Sans que je puisse m'expliquer pourquoi, je suis déçue d'apprendre que quelqu'un d'autre était au courant.

— Ah, tu savais donc… Eh bien, dans la seconde enveloppe elle fait une demande qui te concerne également.

— Tiens donc. Et qu'est-ce que ma grande sœur a inventé pour me rappeler qu'elle est morte ?

Le ton de sa voix est cassant, en contradiction pourtant avec la peine immense que je lis dans ses yeux. Inutile de tourner autour du pot, je me jette à l'eau.

— Tu te rappelles le week-end de janvier, l'an dernier, que vous avez passé à Grenoble ? Elle m'a bassinée avec ça pendant des semaines.

— Et ?

— A priori, il était prévu que vous y retourniez cette année. Sauf que, enfin, elle n'est plus là. Alors elle veut que j'y aille à sa place. Avec toi. Elle dit que ça te fera du bien.

Il se lève brusquement du fauteuil, passe derrière moi et se plante devant la porte-fenêtre, si bien que je ne peux déchiffrer ce qu'il ressent.

— Sacha... Je sais que ça paraît bizarre mais...

— Comme si j'avais envie d'aller faire du ski !

Je laisse passer quelques secondes.

— Moi aussi elle me manque, tu sais. Et ces lettres, c'est le moyen qu'elle a trouvé de rester présente. Je ne peux pas vraiment l'expliquer, mais ça me fait du bien. Lorsque j'ai acheté le sapin de Noël, je me suis sentie revigorée. Comme jamais depuis qu'elle est partie. Et pour une raison évidente, elle a envie que j'aille à Grenoble avec toi.

Comme il ne réagit pas, je poursuis :

— Si c'est à cause de ce qu'il s'est passé le soir de Noël...

— Ça n'a rien à voir avec ça. C'est juste que... Il faut que j'y réfléchisse. Laisse-moi un ou deux jours. Mais je ne te promets rien.

— Bien sûr, je comprends.

Je me lève à mon tour pour me diriger vers la porte d'entrée. Juste avant de quitter la pièce, je me retourne :

— Je voulais te dire, pour la dernière fois, enfin... je suis désolée. Je me suis énervée et je n'aurais pas dû. Tu m'as demandé si j'étais heureuse, et je crois que non. C'est un peu trop tard pour s'en rendre compte, hein ?

Cette dernière réflexion m'était plutôt destinée. Sacha, lui, ne répond rien.

Bien plus tard, alors que je peine à trouver le sommeil à côté d'un Germain ronflant et épanoui, je me lève discrètement pour aller dans le salon. Dans mon sac à main j'attrape le petit carnet.

6 janvier.
Je voulais juste te dire que j'avais essayé. Je suis allée voir Sacha. Mais tu vois... C'est difficile tout ça pour lui. Malgré tout, je serai là pour lui, ne t'inquiète pas, Grenoble ou

Un bip provenant de mon téléphone interrompt mon geste.

Qui peut bien m'envoyer un message à cette heure ?

« C'est OK pour moi. Grenoble ce week-end. J'espère que je ne le regretterai pas. Sacha »

« Merci. Pour elle. Et pour moi. Ce sera super j'en suis certaine. »

Avant de retourner me coucher, je termine ce que j'étais en train d'écrire.

... Ton frère est finalement plein de surprises. À nous les pentes enneigées !
P.-S. : Si jamais je me casse quelque chose, tu n'as pas fini de m'entendre te maudire !

13

9 janvier

Je peux le faire, je peux le faire. Après tout, je ne suis pas moins dégourdie qu'une autre. Je suis jeune et souple. Il n'y a pas de raison, je peux le faire.

Assise sur le télésiège, je me répète en boucle ces phrases depuis que j'ai commencé à m'élever vers le sommet des pistes.

Avec ma combinaison rose fluo, les gants assortis, une énorme paire de lunettes et un magnifique bonnet bleu turquoise, je ressemble à... À rien.

Je tente de dégourdir mes orteils enserrés dans des chaussures de torture qui pèsent au moins dix kilos chacune. Il est temps de rétablir la vérité et de dire que les chaussures de ski surpassent, et de loin, les chaussons de danse en matière d'inconfort et de douleur.

Du coin de l'œil, je vois Sacha qui me fixe, un sourire moqueur aux lèvres.

— Quoi ? Tu veux ma photo ?

— Tu es morte de trouille, avoue-le !

— Pas du tout ! Je suis juste concentrée. Tu n'as jamais vu quelqu'un en train de se concentrer ?

Soudain, le télésiège s'arrête.

— Oh mon Dieu, qu'est-ce qu'il se passe ? Ça y est, on va mourir !

Je regarde tout autour de moi, apeurée à l'idée de voir apparaître une coulée de neige annonciatrice d'avalanche. Mais il n'y a rien.

Je me retourne ; la personne assise dans le télésiège suivant ne semble pas paniquer. Ça doit donc être normal. C'est peut-être fait exprès pour que l'on puisse admirer le paysage. C'est vrai, quoi, on ne prend jamais assez le temps, surtout quand on est à cent mètres au-dessus du vide.

Sacha, lui, éclate de rire. J'hésite entre lui flanquer mon bâton de ski ou ma chaussure dans les dents.

Avec le vent, le siège commence à se balancer, et moi, à faire mes prières. Je regarde en bas, pour le cas où je serais obligée de sauter. On doit être à quoi, trente, quarante mètres du sol ? Ça doit pouvoir se tenter. Et puis à la réception c'est de la neige, c'est mou, la neige, non ?

Soudain, dans un bruit de roulis mécanique rouillé tout à fait rassurant, le télésiège s'ébranle à nouveau.

— Tu vois, dit Sacha, inutile de te *concentrer* plus, on repart.

Faute de pouvoir lui lancer quelque chose à la figure, je lui envoie mon regard le plus noir.

Puis je tente de me rappeler ce que m'a dit le type en bas au sujet de l'arrivée. On lève la barre, on prend ses bâtons dans une main et on se laisse glisser sur la droite. Barre, bâtons, glisser. Je peux le faire, je peux le faire.

À une dizaine de mètres de l'arrivée, un petit panneau indique qu'il faut lever la barre. Tout de suite, maintenant ? Au-dessus du vide ? Parce que là, si je tombe, même un sol de neige ne me sauvera pas, c'est certain.

Discrètement, je regarde Sacha qui tranquillement déplace ses skis.

Le cœur en panique, je retire à mon tour mes skis du repose-pieds et aide Sacha à soulever la barre. Qu'est-ce qu'il a dit aussi, le type en bas ? Ah oui, rapprocher un peu ses fesses du bord du siège. Quoi ? Rapprocher ses fesses du vide ? C'était une blague sans doute, oui, voilà, une blague. Il a vu que j'étais parisienne et que je n'avais jamais fait de ski, c'était pour se moquer. Il ne perd rien pour attendre.

Mes fesses restent donc là où elles sont et c'est avec soulagement que je vois la piste d'atterrissage se profiler. Ça y est, mes skis touchent le sol, je suis sauve. Mais, pourquoi est-ce que le télésiège ne s'arrête pas ? Hé ho, il faut que je descende, laissez-moi le temps de descendre !

Dans un effort surhumain je parviens à me relever ; je comprends alors pourquoi il fallait rapprocher ses fesses du bord. Poussée à moitié par le télésiège qui amorce son demi-tour pour repartir dans l'autre sens, les bâtons tenus fermement dans la main gauche, je tente de me laisser glisser.

Finalement c'est facile, ça glisse tout seul. Je ris presque d'avoir autant appréhendé. Je glisse, je glisse, je prends de la vitesse. Tourner à droite, il a dit, mais comment fait-on pour tourner à droite ? Au secours, mes skis ne tournent pas ! Ce sont des skis défectueux, c'est bien ma veine. Je fais alors la seule chose qui me paraît sensée, je me laisse tomber par terre, goûtant au passage le goût de la neige de Chamrousse. Un régal.

— Marie avait raison finalement, je pense que je vais bien m'amuser pendant ces deux jours.

Je lève les yeux vers Sacha. Bien campé sur ses skis, lui, il semble trouver tout cela très drôle. Avec un grand sourire, il me tend la main pour m'aider à me relever.

— Allez, ma vieille, tu vas voir, une fois qu'on a compris le truc, c'est un jeu d'enfant.

L'après-midi reste hélas à l'image de cette arrivée catastrophique. Je glisse, je prends de la vitesse, je tombe. Je suis dépassée par des enfants qui me sourient et descendent les pentes à toute vitesse. Un jeu d'enfant, hein ? J't'en foutrais, moi, des jeux d'enfants !

— C'est pas que je m'ennuie, là, mais on a descendu quoi ? cent mètres de piste ? Tu progresses, me nargue Sacha. La dernière fois, tu as tenu au moins vingt secondes sur tes skis !

— Tu sais quoi ? Descends-la sans moi, cette piste. C'est à cause de toute cette pression que tu me mets, je suis sûre que j'y arriverais beaucoup mieux si tu n'étais pas là à te ficher de moi tout le temps.

— Oui, on va dire ça. C'est ma faute, dit-il en éclatant de rire.

Cette fois-ci je lui balance mon bâton.

— Wokay, inutile de vous énerver, ma petite dame. Je vais donc aller skier, on se retrouve dans deux heures au chalet. Ça devrait te laisser le temps d'arriver en bas.

Sur ce, d'un bond souple, il se place dans la pente. Pendant quelques secondes je l'admire descendre cette piste comme s'il n'avait pas ces énormes planches aux pieds.

Alors que je tente de me relever, pour la millionième fois, je réalise que je n'ai plus qu'un seul ski aux pieds. Je regarde tout autour de moi et repère l'autre quelques dizaines de mètres plus haut. Déjà que sur deux skis je ne suis pas fameuse, mais alors sur un seul…

Un homme s'arrête près du ski esseulé et se baisse pour l'attraper. En quelques secondes, après deux virages qui me laissent béate d'admiration, il s'arrête à ma hauteur et me le tend. Plutôt grand, blond aux cheveux courts avec, à la place de l'affreuse combinaison que j'ai, moi, sur le dos, un jean parfaitement coupé et un gros blouson bleu électrique.

— Ça va aller ? me demande-t-il en ôtant ses lunettes de soleil.

Les yeux verts, donc…

— Oui, je sens que je progresse.

— Pour ce qui est de chuter, vous voulez dire ?

Puis il éclate de rire. Un rire franc et sonore, à déclencher une avalanche.

C'est étrange, mais ce visage me semble familier. Je dois sûrement confondre avec quelqu'un d'autre.

— Mais vous vous êtes donné le mot ou quoi ? Les mecs, vous êtes bien tous les mêmes. Jamais un encouragement.

Vexée d'être raillée par un type que je ne connais même pas, j'attrape rageusement le ski qu'il me tend et, à l'aide de mes bâtons, me remets debout pour remboîter ma chaussure dessus aussi vite que possible.

Mais pour qui il se prend ? Sans un mot, je m'élance pour lui prouver qu'il a tort. Je l'entends qui poursuit dans mon dos :

— Vous ne devriez pas vous asseoir sur vos skis, vous allez encore tomber !

Mais de quoi je me mêle ? Et puis d'abord, je m'assois sur mes skis si je veux ! Ce sont justement les skis qui ne vont pas, ils sont beaucoup trop grands, ils n'arrêtent pas de se croiser. Je fais une nouvelle tentative de virage mais l'un de mes bâtons reste planté dans la neige. Déséquilibrée, je m'écroule une nouvelle fois, la tête la première.

— Vous êtes sûre que vous ne voulez pas que je vous apprenne deux ou trois trucs ?

M. De-quoi-je-me-mêle est de nouveau à côté de moi.

— Non merci. Je m'en sors très bien toute seule.

— Comme vous voudrez, me répond-il en reprenant sa descente.

À n'en pas douter, vu comme il skie, il doit vivre dans le coin. Bon débarras.

Où est-ce que j'en étais ? Ah oui, mes bâtons…

Confortablement installée sur le lit de ma chambre d'hôtel avec une bonne crêpe noyée de Nutella, je savoure d'être débarrassée de ces affreuses chaussures. S'il y a une chose dont je suis désormais sûre, c'est que je ne suis pas près de rechausser des skis. J'avale une bouchée, essuie mes mains sur la serviette en papier et ouvre mon carnet.

Marie,

Sais-tu ce qu'il y a de pire que de monter sur les pistes dans un télésiège ? Redescendre avec un télésiège ! On a à peine le temps d'abaisser la barre que cet engin de malheur plonge dans le vide. Je suis en un seul morceau, au cas où tu te le demanderais. Pleine de bleus et de courbatures, mais entière. Franchement, quel est le type qui a eu un jour l'idée d'inventer le ski ?

En parlant de type, j'en ai croisé un cet après-midi dans le genre désagréable. Je lui aurais bien planté mon bâton où je pense. Cela dit, il t'aurait plu, il était canon. Comme quoi, ça n'empêche pas d'être con.

Molly.

P.-S. : Tu as raison, c'est beau, la montagne.
P.-S. 2 : Ça ira pour Sacha. Il tient le coup.

14

10 janvier

De ma chambre d'hôtel, la vue est époustouflante. Des montagnes enneigées et un beau ciel bleu pour les encadrer. Il est assez tôt et les quelques bruits de la rue ne viennent pas troubler la quiétude du moment. Rien à voir avec Paris. Je me surprends à penser que je pourrais aisément vivre dans un endroit comme celui-ci.

Il fait beau ce matin et plutôt doux pour un mois de janvier, parfait pour se balader.

— Tu es sûre que tu ne veux pas venir skier aujourd'hui ? me demande Sacha tout en engloutissant un petit déjeuner pour quatre.

— Certaine ! J'en ai eu assez de me concentrer hier, tu vois. Je crois que je vais aller gentiment me promener en ville. Sur la terre ferme.

— Comme tu voudras ! On se retrouve vers 14 heures ? Je voudrais te montrer un endroit qu'avait adoré Marie l'année dernière. C'est un truc de nana, ça va te plaire. Ça s'appelle *Aux Délices de Nadège*.

Après avoir avalé un croissant supplémentaire, il me colle une bise sur la joue et me laisse.

L'esprit dans le vague, je termine mon jus d'orange et grignote une tartine de confiture. Avant de sortir, je remonte dans ma chambre pour enfiler un gros pull et la paire de bottes fourrées que mes parents m'ont offerte à Noël.

Le réceptionniste de l'hôtel m'adresse un large sourire lorsque je lui confie mes clés et me souhaite une bonne journée.

Dans la rue, les mains bien au chaud dans les poches de mon manteau, je me laisse porter et respire à pleins poumons cet air pur et frais.

Le centre-ville est plutôt agréable, avec des arbres un peu partout et des petites boutiques qui semblent sympas. Quelques personnes sont attablées aux terrasses de café, un journal à la main. J'entends des rires d'enfants, ils sont quatre à se courir après autour d'une fontaine. Devant moi se trouve un parc que je traverse. Au bout, il y a le fleuve. Et toujours les montagnes qui nous surplombent.

Un panneau indiquant le téléphérique Bastille attire mon regard. Ça doit être ces drôles de bulles que j'ai aperçues hier. Je suis les indications et arrive rapidement à la gare de départ du téléphérique. Je vois quatre cabines qui s'élèvent rapidement vers le sommet. J'achète un billet et attends patiemment mon tour. Il y a des couples, des parents avec leurs enfants, une grand-mère avec une petite fille. Je me glisse dans l'habitacle avec ces deux dernières. Les portes se referment et l'ascension commence.

Le spectacle est superbe.

— Regarde, mamounette, comme on monte haut !

La petite fille, qui doit avoir cinq ou six ans, a le nez collé à la vitre, ne perdant pas une miette du paysage qui se dévoile sous ses yeux. Comme rattrapée par le vide, elle s'éloigne d'un coup pour se rapprocher de sa grand-mère.

— Dis, mamounette, qu'est-ce qui arriverait si ça se décrochait ?

Celle-ci la prend dans ses bras et la réconforte d'un bisou.

— Les cabines ne peuvent pas se décrocher, Louise chérie. Et tu sais pourquoi ? Parce que c'est ton grand-père qui a construit ce téléphérique.

— C'est vrai ? C'est papou qui a construit les bulles ? demande-t-elle émerveillée.

— Il n'a pas construit les bulles mais les câbles qui les portent. Et ce sont les câbles les plus importants.

Rassurée, la petite fille s'approche à nouveau des vitres pour observer. La vieille dame m'adresse alors un regard amusé et me sourit.

— Vous êtes en vacances ? me demande-t-elle.

— Je ne suis là que pour le week-end. C'est la première fois que je viens ici.

— C'est beau, n'est-ce pas ?

— Ah oui, magnifique, vraiment magnifique.

Les bulles arrivent à destination, le voyage n'a duré que quelques minutes. Alors que les portes s'ouvrent pour laisser descendre les passagers, la vieille dame attrape la main de sa petite-fille. Juste avant de disparaître de mon champ de vision, elle se retourne vers moi.

— Vous verrez, me dit-elle, cette ville a quelque chose de magique : une fois qu'on lui ouvre son cœur, on ne peut plus en repartir.

Dans le prolongement de la gare d'arrivée, il y a une terrasse d'observation avec quelques bancs en bois et des jumelles. Je m'approche du bord. La vue sur la ville est à couper le souffle. Les maisons, la verdure et tout autour des sommets enneigés frappés par les rayons du soleil. Mes yeux s'emplissent de larmes. Je suis surprise par l'émotion qui me saisit. De la tristesse, de la joie, de la peur, de l'amour ? Sans doute un mélange de tout ça. Les mots de la vieille dame résonnent.

Après quelques minutes, je me recule et prends place sur un banc. Machinalement, je tourne la bague autour de mon annulaire. Avec Sacha, nous nous sommes bien gardés de parler de Germain et du mariage. Hier soir, nous avons surtout échangé des souvenirs de notre enfance. Nous avons beaucoup ri et ça nous a réconfortés de voir que l'on pouvait aussi penser à tout ça sans pleurer.

Comme pour me ramener à la réalité, un bip annonce l'arrivée d'un message sur mon téléphone.

« Je suis rentré tard hier, mon poussin, je n'ai pas pu t'appeler. J'espère que tu vas bien et que tu t'éclates sur tes skis. Tu me manques. J'ai hâte que tu rentres. »

Germain. Je réalise qu'avant cet instant, seule sur ce banc, je n'ai pas pensé une seconde à lui. Je lui manque. Lui ne me manque pas. Ce constat me serre le cœur.

Comment vais-je me sortir de tout ça ? Les larmes de tout à l'heure se mettent à couler, et là, à plusieurs centaines de mètres au-dessus d'une ville inconnue, devant le paysage le plus beau qu'il m'ait été donné de voir, je pleure en silence.

À 13 h 50, j'attends Sacha au début d'une rue piétonne. J'ai pris le temps de sécher mes larmes. Je me sens plus légère. Ce temps passé seule a été bénéfique. Il était nécessaire pour que je comprenne.

J'aperçois Sacha au loin et je souris en pensant que Marie a bien fait de nous envoyer tous les deux ici. Alors qu'il s'approche, je me souviens de ce qu'il m'a dit hier soir, que petit il nous détestait parce qu'on s'amusait à faire la course avec lui et qu'on gagnait tout le temps. Il n'était pas le jeune homme athlétique d'aujourd'hui.

— On fait la course ? je lui crie avec espièglerie.

Je me tourne vers la rue piétonne et me mets en position de départ.

— 1, 2, 3 partez !

Je commence à courir, en espérant que Sacha me suive dans ce petit jeu. Je ne tarde pas à découvrir que c'est le cas en l'entendant approcher dans mon dos. Ce n'est plus le petit garçon d'autrefois, c'est une certitude. En quelques foulées, il me dépasse et s'offre le luxe de se retourner vers moi.

— Le salon de thé est au bout de la rue, le dernier arrivé invite l'autre.

Reprenant la course, il accélère le rythme. En l'espace de quelques secondes il m'a largement distancée. Mais comment est-il possible de courir aussi vite ?

Hors d'haleine, je finis par m'arrêter à quelques pas de lui. Penchée en avant, les mains sur les cuisses, je tente de reprendre mon souffle, et regarde Sacha faire des allers-retours, en petites foulées, devant le salon de thé dont j'aperçois l'enseigne, *Aux Délices de Nadège*.

— Vengeance ! J'ai gagné ! J'espère que tu as pris suffisamment d'argent parce que j'ai une faim de loup.

Je me redresse pour le rejoindre. Une grande affiche blanche sur la devanture qui précède le salon de thé accroche mon regard. Il y est écrit : « Recherche professeur de danse. Si vous aimez les enfants, elles aussi vous aimeront. Expérience souhaitée. 06 75 46 83 72. Demandez M. Louvier. »

En fin de journée, Sacha ayant prévu de retrouver des copains dans une autre station, je l'accompagne à la gare. Il paraît moins préoccupé et je suis heureuse que Marie ait organisé tout ça.

De retour à l'hôtel, je sens la fatigue s'emparer de moi. Je m'allonge sur le lit et ferme les yeux pour essayer de dormir un peu. Quand il devient évident que cela ne marchera pas, je me résous à faire ce que j'ai à l'esprit depuis un bon moment déjà.

Je prends mon téléphone et compose le numéro. Une sonnerie, puis deux et...

15

— Allô oui ?

— Monsieur Louvier ? Bonjour, excusez-moi de vous déranger un dimanche mais j'ai vu votre annonce et je me demandais si celle-ci était toujours d'actualité.

— Tout à fait. Nous sommes toujours à la recherche d'un professeur de danse. Vous seriez intéressée ?

— Écoutez, je ne suis pas… Oui, oui, ça m'intéresse.

Les mots se sont enchaînés sans que j'aie vraiment l'impression de les contrôler. Quelque chose au fond de moi me pousse à tenter ma chance. Ce qui est complètement délirant vu que ma vie est à Paris, mon travail, mes amis, et Germain. Germain…

— Est-ce qu'on peut se rencontrer, disons, mardi à 14 heures ou alors mercredi si c'est mieux pour vous ? me propose-t-il.

— C'est-à-dire que… J'ai un train ce soir pour Paris, alors je me disais que peut-être vous auriez quelques minutes à me consacrer avant mon départ. Ça paraît un peu précipité, je m'en rends bien compte.

— En même temps cela fait des semaines que cette annonce est là et pour l'instant nous n'avons pas eu beaucoup de candidats. C'est difficile de trouver une personne qui soit suffisamment disponible tout en ayant un travail à côté pour pouvoir compléter ses revenus. Écoutez, je vous propose de vous rencontrer à 18 heures, cela vous irait ?

— Ce sera parfait.

— Je vous retrouve devant la salle de danse ?

— J'y serai. À tout à l'heure, monsieur Louvier. Et merci encore de prendre sur votre temps un dimanche.

Comme à mon habitude, je suis un peu en avance. Héritage de mon père qui m'a sans cesse répété qu'il ne fallait jamais, sous aucun prétexte, être en retard.

L'héritage laissé par ma mère est tout autre, bien que tout aussi primordial : n'oublie pas de mettre une culotte propre avant d'aller chez le médecin[1]. Ma mère a toujours eu le sens des priorités.

Devant la salle de danse, je tente de me réchauffer en sautillant. Le soleil de ce matin s'est trouvé voilé par quelques nuages, ce qui a eu pour effet immédiat de rafraîchir l'atmosphère. Au loin, j'aperçois un homme marcher vers moi à vive allure. De taille moyenne, il est emmitouflé dans un long manteau et porte un chapeau de feutre vert.

— Mademoiselle Greene ? me demande-t-il en me tendant la main.

---

1. Avouez que votre mère, elle aussi, s'assurait de ce point crucial avant chaque visite chez le médecin !

— Oui, bonjour, monsieur Louvier et merci encore d'avoir bien voulu modifier les plans de votre dimanche pour me rencontrer.

— Ce n'est pas tous les jours que nous avons une candidate pour le poste, alors cela méritait bien que je vous accorde quelques minutes.

— Justement, depuis que vous m'avez donné cette information, je me demande pour quelles raisons vous ne trouvez pas preneur pour le poste. Il doit y avoir à Grenoble des dizaines de personnes qualifiées, non ?

— Qualifiées peut-être, mais qui sont intéressées par un contrat de dix heures par semaine, beaucoup moins. Soit les personnes sont sans activité professionnelle et le contrat n'est pas assez attrayant. Soit elles ont une activité et du coup ne peuvent libérer autant de temps. C'est notre problème.

— « Votre » problème ?

— Pardon, j'aurais dû commencer par le commencement. Je suis le président d'une petite association de commerçants de quartier. Auparavant il y avait ici une école de musique, mais la personne qui s'en occupait a pris sa retraite. C'est une vraie opportunité d'avoir dans un quartier comme celui-ci une activité périscolaire. Cela amène du passage. Après réflexion, nous avons décidé de passer de la musique à la danse. Hélas, celle que nous avions recrutée a déménagé au bout de quelques semaines. Alors, depuis, nous recherchons un nouveau professeur. Je vous propose de continuer à l'intérieur, ou nous allons geler sur place.

Il m'ouvre la porte du local et me laisse le précéder. La salle est plutôt spacieuse avec du parquet au sol.

Des barres sont fixées tout autour de la pièce pour les exercices d'assouplissement. Sur le mur du fond se trouve un immense miroir. Les souvenirs affluent. Des notes de musique retentissement instantanément dans mon esprit.

— Mademoiselle Greene ?

J'ai dû m'échapper quelques instants de la réalité. M. Louvier semble attendre une réponse.

— Pardon, excusez-moi, j'étais perdue dans mes pensées. Vous me demandiez quelque chose ?

— Je vous demandais : êtes-vous grenobloise ?

— Parisienne, en fait. J'étais en week-end avec un ami et je suis tombée par hasard tout à l'heure sur votre annonce.

— Si vous vivez à Paris, cela risque d'être difficile de vous rendre ici cinq fois par semaine, non ? Je sais que des progrès ont été faits niveau transports en commun, mais tout de même !

Il rit. Il se dégage de cet homme beaucoup de gentillesse, il me plaît.

— En fait, pour ne rien vous cacher, j'envisage de quitter Paris. Enfin, je l'envisage depuis seulement quelques heures, mais c'est très sérieux.

C'est la première fois que je formule à voix haute ce qui occupe mon esprit depuis que je suis passée devant cette annonce. Comme si prendre de la distance avec Germain, avec le mariage, était la solution.

Il semble quelque peu surpris.

— Quitter Paris ? Mais ce n'est qu'un contrat de dix heures par semaine et le salaire n'est pas énorme. Comme je vous le disais, il ne sera pas suffisant pour vivre...

— Je trouverai un complément. Je suis serveuse, j'imagine qu'il est possible de trouver un poste dans un restaurant par ici.

Son visage s'illumine.

— Mais oui, j'y pense, Nadège, qui tient le salon de thé juste à côté, il me semble qu'elle cherche quelqu'un pour l'aider. Ce serait parfait ! Mais bon, avant toute chose, vous ne m'avez pas dit quelle était votre expérience en tant que professeur de danse…

— Pour ne rien vous cacher, je n'ai encore jamais enseigné. Mais j'ai fait des années de danse classique dont plusieurs au sein de l'Opéra de Paris.

Je devine à son haussement de sourcils qu'il n'est pas convaincu.

— Hum… Je ne sais pas trop.

— Je vous en prie, donnez-moi une chance. Prenez-moi à l'essai et si jamais je ne conviens pas, je m'en irai.

— Montrez-moi comment vous dansez.

— Euh… Là tout de suite, ici ?

— Eh bien oui ! Nous sommes dans une salle de danse, vous voyez un meilleur endroit ? insiste-t-il avec un sourire en coin.

Je lui souris à mon tour. Je sors mon téléphone de mon sac à main et cherche sur Internet la musique qui m'a toujours fait vibrer. Je défais mon manteau et mes bottes, pose le téléphone sur le sol puis lance les premières notes du *Lac des cygnes*.

Je ferme les yeux, me laisse envahir par la musique et je m'élance. Mes bras se déploient en rythme, mes jambes se tendent, mes pieds s'élèvent malgré l'absence de chaussons, je tourne et tourne dans la salle. Comme si j'avais dansé sur ce morceau hier encore, j'enchaîne les pirouettes, mes bras ondulent, mon corps est à l'unisson de la musique qui résonne. Un dernier saut, je suis au sol, mes bras se replient lentement puis cessent tout mouvement, le morceau s'achève.

— Vous êtes engagée !

16

17 janvier

Comment est-ce qu'on annonce à sa famille, ses amis que l'on va déménager, que c'est à six cents kilomètres et que c'est pour dans moins d'un mois ? Comment est-ce qu'on annonce à son fiancé, à qui l'on a dit « oui, je veux t'épouser », que finalement non, on ne veut plus, que l'on déménage dans moins d'un mois et que c'est fini ?

Une semaine que je suis rentrée de mon week-end à Grenoble et je n'ai pas encore la réponse à ces comment.

Pourtant, il va bien falloir. Sur le contrat d'embauche que j'ai reçu ce matin par mail, figure la date du 1er mars. D'ici là, il me faut trouver un appartement à Grenoble, organiser mon déménagement, m'installer... Et rien de tout ça ne sera possible, je le sais pertinemment, tant que je n'aurais pas lâché la nouvelle. Pour la première fois de ma vie, je vais être seule quelque part, ça me terrifie. Et en même temps, bizarrement, j'ai hâte.

Ça ressemble à une décision prise sur un coup de tête. Peut-être que c'est le cas. Mon esprit tourne en boucle. Je ne sais pas si j'ai raison de vouloir tout quitter, ni si je ne vais pas le regretter. Germain, même si c'est un ayatollah de la charentaise sifflant là-haut sur la colline, c'est la garantie d'une vie tranquille.

Et sans étoiles dans les yeux, sans battements de cœur, me souffle Marie dans mon sommeil. Cette opportunité se représentera-t-elle ? Est-ce qu'on a une seconde chance quand on passe à côté de la première ?

Parce qu'il faut bien commencer par quelque chose...

— Monsieur Patterson ? Je peux vous voir quelques minutes, s'il vous plaît ?

— Oui, Molly. Vous avez l'air sérieux, tout d'un coup. Rien de grave, j'espère ? C'est Kathryn ?

— Non, ne vous inquiétez pas, ma mère va très bien. C'est de moi qu'il s'agit.

— De vous ? Que vous arrive-t-il ?

— Monsieur Patterson, je voulais vous dire que j'étais très reconnaissante envers vous pour m'avoir offert cette place alors que je n'avais aucune expérience.

— Mais... ?

— Mais je vais quitter Paris. J'ai décidé de changer d'horizon. De renouer avec une ancienne passion, en quelque sorte. Je suis vraiment désolée, monsieur Patterson, de vous lâcher comme ça. Je peux sans doute vous aider à trouver quelqu'un pour me remplacer, passer quelques coups de fil autour de moi.

Il cache sa déception, je le vois bien. Je crois qu'il m'appréciait au-delà de la serveuse. Un peu comme une fille qu'il n'a pas eue. La fille de Kathryn.

— Ne vous inquiétez pas, je trouverai. Vous avez raison, on n'a qu'une vie. Je regrette encore aujourd'hui une décision que j'ai prise il y a de cela des dizaines d'années.

Un instant, je décèle de la tristesse dans son regard et beaucoup de regrets. Mais il se reprend rapidement pour me demander :

— Et vous devez partir quand ?

— Il faut que je sois à Grenoble mi-février. Si vous pouviez me libérer fin janvier, ce serait vraiment l'idéal. Mais je comprendrais qu'il vous faille plus de temps pour vous retourner… Je travaillerai jusqu'au bout, si besoin.

— Fin janvier, je m'organiserai. Il faut du temps pour un changement de vie. J'en sais quelque chose.

Il prend mes mains dans les siennes et les presse doucement. La bombe est lâchée, impossible désormais de reculer et d'échapper au raz-de-marée qui va suivre.

— Qu'est-ce que c'est que cette histoire, *sweety* ? Tu déménages ? Mais pour aller où ? me demande ma mère, complètement hystérique, à peine deux heures plus tard au téléphone.

Je ne suis pas surprise. Informer M. Patterson, c'était le dire à ma mère.

— Calme-toi, maman. Je te promets qu'il n'y a rien de grave.

— J'apprends que tu déménages, que tu as un amant, et tu me dis qu'il n'y a rien de grave ! Et Germain, tu y as pensé ?

Un amant ? Je manque m'étouffer avec ma salive. Quant à Germain, je ne fais que ça, de penser à lui et à la peine que je vais lui causer.

— Je ne sais pas pourquoi tu t'es mis dans la tête que j'avais un amant, mais il n'en est rien.

— Ne me mens pas, Molly Jane Greene ! James m'a annoncé que tu partais pour retrouver une ancienne passion. Et sa source est on ne peut plus fiable puisque c'est toi qui le lui as dit.

J'éclate de rire.

— Si l'on considère que la danse classique est un amant, alors oui, j'ai un amant. Je vais reprendre la danse, maman, rien de plus. J'ai accepté un poste de professeur à Grenoble.

— Grenoble ? Mais c'est où, ça ? Et Germain, il en pense quoi ? Il t'accompagne ?

Non seulement il ne m'accompagne pas, mais en plus je ne vais pas l'épouser mais le quitter. Impossible de déballer ça par téléphone. Et dire que ma mère a déjà pris rendez-vous pour moi auprès d'une couturière pour ma robe de mariée…

— Est-ce que je peux venir dîner ce soir ?

Je suis une grande fille, j'ai le droit de faire ce que je veux de ma vie. Alors pourquoi, en cet instant, le doigt à quelques millimètres de la sonnette de chez mes parents, je me sens comme une gamine de dix ans prise en faute ?

— En voilà une bonne surprise ! me lance mon père, arrivant dans mon dos, trousse médicale à la main.

— Tu rentres tôt, papa, je ne m'attendais pas à te voir avant au moins une bonne heure.

— On ne va pas se plaindre qu'il y ait eu moins de gens malades aujourd'hui, me dit-il sur le ton de la plaisanterie.

En réalité, il a dû ralentir un peu le rythme suite à une alerte cardiaque l'année dernière. Comme il ne le vit pas très bien, maman et moi faisons comme s'il n'en était rien et nous étonnons chaque fois qu'il rentre plus tôt. Personne n'est dupe, pas même lui.

— Je suis contente de te voir, papa. Je ne sais pas si maman t'a prévenu mais la soirée risque d'être un peu mouvementée.

Mon père ouvre la porte et nous entrons dans la maison, accueillis par de bons effluves de *macaronis and cheese*.

Ma mère, tablier autour du cou, s'affaire en effet dans la cuisine.

— Plus que quelques minutes et tout sera prêt, me dit-elle. J'ai fait une petite salade pour accompagner les *mac and cheese*. Et une tarte aux pommes.

Depuis qu'elle a cessé son activité de bibliothécaire pour être plus présente pour mon père, ma mère s'est prise de passion pour la cuisine. Avec beaucoup de talent, je dois l'admettre.

Mon père et moi prenons place sur les tabourets de bar de la cuisine. Deux grands verres de thé glacé maison apparaissent aussitôt devant nous.

— Maman, est-ce que tu peux t'asseoir deux minutes avec nous, s'il te plaît ? Ça me stresse de te voir t'agiter comme un ver de terre au bout d'un hameçon.

— Et moi, justement, ça me calme ! me lance-t-elle.

— Mais que se passe-t-il ici ? questionne mon père, qui n'a visiblement pas encore été informé de la nouvelle du jour.

— Il se passe, Paul, que ta fille a décidé de déménager dans une ville que personne ne connaît, très loin d'ici donc, qu'elle a démissionné et qu'elle va devenir professeure de danse.

Voilà, maintenant il est au courant de tout. Mon père se tourne vers moi, surpris.

— Cette ville que personne ne connaît, c'est Grenoble. Des jeux Olympiques s'y sont déroulés, maman, ce n'est pas non plus un village abandonné au fin fond de nulle part.

— Mais tu ne nous avais pas dit que tu voulais partir ! Je croyais que Germain et toi alliez vous marier ?

Instantanément, ma mère stoppe ses allers-retours fébriles entre le piano de cuisson et le bar, les yeux rivés sur moi.

— Je sais que ça doit vous surprendre, commencé-je, un peu bredouillante. Moi-même, je ne m'attendais pas non plus à prendre cette décision. Il se trouve que la semaine dernière pendant mon week-end à la montagne avec Sacha, je suis passée devant une annonce et que j'ai réalisé que je n'avais qu'une envie : appeler le numéro pour postuler. En principe, on ne ressent pas ce genre de choses quand on va se marier, non ? Et pourtant, c'est ce que j'ai ressenti. Je sais que vous étiez très contents pour ce mariage, mais…

— Mais si nous étions contents, c'est parce que toi aussi, tu semblais heureuse, Molly chérie, m'interrompt mon père.

— C'est ce que je croyais aussi. Ou plutôt ce dont je voulais me convaincre. Germain est gentil, mais je ne pense pas que ce soit l'homme de ma vie.

— Tu ne penses pas ou tu en es sûre ? intervient ma mère.

— J'en suis sûre. Le mieux aurait été que je m'en aperçoive avant de dire oui à sa demande, j'en conviens.

— Ça, c'est le moins qu'on puisse dire ! Quand je pense qu'il va falloir que je rappelle tous nos amis de Chicago pour leur annoncer que finalement tu ne te maries pas ! Mon Dieu, et il faut que j'annule avec la couturière, et que je récupère l'acompte pour la chorale gospel.

La sonnerie du four interrompt son monologue.

— C'est prêt ! nous dit-elle. Grenoble, tu as dit ? Et tu pars quand ?

Je pousse un soupir de soulagement. Le côté très excessif de ma mère est compensé par sa volatilité. Elle s'enthousiasme pour une chose et ça lui passe aussi vite que c'est venu.

Le plus dur est fait.

Ou presque…

17

19 janvier

Est-ce qu'il y a un endroit adapté, un moment propice pour annoncer à quelqu'un qu'on le quitte ? On en revient toujours à cette histoire de pansement, à un moment, il faut l'arracher. Que l'on aille vite ou lentement, de toute façon ça fait mal.

Je me déteste pour les minutes qui vont suivre.

Germain est assis sur le canapé en train de boire son café. Il attend le début du film, un navet dont il me vante l'histoire depuis dix minutes, sans que j'écoute un mot de ce qu'il dit.

Mon regard est focalisé sur le canapé jaune que nous venons tout juste de recevoir. Depuis quelques semaines je fais du tri, je repeins les murs, j'achète de nouveaux meubles. Et malgré cela, je m'apprête à quitter celui qui m'a demandée en mariage. Je m'en veux de ne pas avoir ouvert les yeux avant. Je m'en veux pour ce canapé qui lui rappellera cette trahison, encore et encore, une fois que je serai partie. Et comme il est jaune, il lui sautera aux yeux chaque fois qu'il rentrera dans l'appartement. Si seulement je l'avais choisi noir…

Ma tasse de thé dans la main, je m'assois aussi loin que possible de Germain. À un moment, il n'est plus possible de reculer, de remettre au lendemain.

— Est-ce que tu es heureux, Germain ?

— Bien sûr que je suis heureux. Sauf quand tu repeins les murs en bleu, me répond-il avec un grand sourire.

J'attrape la télécommande et coupe la télévision.

— Je suis sérieuse, Germain. Est-ce que tu es vraiment heureux ?

À sa tête, il se demande ce qui est en train de lui tomber dessus.

— Mais oui ! Tu en as de drôles de questions ! Je suis heureux, pourquoi est-ce que je ne le serais pas ? Je t'aime, on va se marier, ça suffit à être heureux, non ? Et pour le mur, ce n'est pas si atroce que ça, j'aime bien en fait.

— Mais non, je m'en fiche de ça. C'est juste que…

— Ça ne va pas, mon poussin ? J'ai fait quelque chose qu'il ne fallait pas ? Si c'est le cas, j'en suis désolé. Je t'aime, et tout ce qui compte pour moi, c'est ton bonheur.

— Il ne peut pas y avoir que ça, tu ne peux pas simplement vivre pour faire mon bonheur !

— Eh bien si. Ce que j'aime, moi, c'est te rendre heureuse. Est-ce qu'il y a quelque chose de mal à ça ? Où est-ce que tu veux en venir ?

Nerveuse, je me lève du canapé. Il n'y a pas trente-six mille manières de lui dire, de toute façon ça va lui faire du mal.

— Le souci, je crois, c'est que je ne t'aime pas autant que toi, tu m'aimes. Et tout ça, tout ce que tu fais pour me faire plaisir, eh bien ça m'étouffe. C'est comme si tu n'existais pas, comme s'il n'y avait pas deux personnes dans notre couple. Tu es vraiment adorable, sans doute le garçon le plus gentil que j'aie jamais rencontré, mais c'est trop.

— Trop gentil ? Trop amoureux ? Tu voudrais que je ne fasse pas attention à toi, que je ne pense qu'à moi ?

— Mais non, ce n'est pas ce que je veux dire.

— Eh bien explique-moi un peu mieux, parce que j'avoue que là je ne te suis pas. On reproche rarement à quelqu'un de trop aimer, non ?

— Tu vois, c'est comme pour ce canapé, lui dis-je en désignant le meuble du doigt, quand je t'ai dit que je voulais un canapé jaune, tu m'as dit : « Si ça te fait plaisir, ça me va. »

— Oui… Parce que c'est le cas. C'est un problème ?

— Mais c'est comme ça pour tout, Germain ! Tu ne peux pas tout le temps répondre : « Si ça te fait plaisir, ça me va. » Tu ne peux pas être d'accord avec tout ce que je dis ou fais. Comment on se dispute sinon, hein ?!

— Tu veux donc qu'on se dispute ? C'est bizarre, mais si c'est ce que tu veux…

— Mais non, ce n'est pas ce que je veux. Tu recommences, là, tu vois bien. Il ne s'agit pas de faire ce que moi, je veux, il s'agit d'être toi, d'avoir une personnalité propre, même si cela doit me déplaire ou me contrarier.

— Je ne suis pas sûr de comprendre, mais je vais essayer de faire des efforts, si ça peut te rendre heureuse…

Rhâââ, ce n'est pas possible, on ne va jamais s'en sortir.

— Ce n'est pas toi le problème, Germain. C'est moi.

Après un blanc, j'ajoute :

— Je ne crois pas être la femme qu'il te faut.

Lui aussi s'est levé et s'approche de moi pour m'enlacer.

— Mais si, tu es la femme de ma vie. C'est le mariage qui t'angoisse ? Ça va bien se passer, tu vas voir, mais si tu veux qu'on repousse un peu, on peut le faire.

Je me dégage de son étreinte, je cherche une approche douce, une manière de lui faire comprendre, mais il n'y en a pas. Il n'y a rien d'autre à dire que la vérité, celle qui va lui briser le cœur et faire de moi la méchante de l'histoire.

— Non. Germain, je suis vraiment désolée mais toi et moi, ça ne peut pas continuer. Je sais que j'ai accepté ta demande en mariage et que c'est horrible de te dire ça maintenant mais nous deux… c'est fini, Germain.

18

21 janvier

— Tu as fait quoi ?

— J'ai rompu avec Germain.

Je m'attendais à recevoir un appel aussitôt après ma rupture avec lui. Je pensais qu'il s'en ouvrirait à Nicolas, qu'il lui demanderait de faire appel à Viviane pour tenter de me faire changer d'avis. Il n'en a rien été. J'ai donc pris le téléphone pour lui annoncer moi-même la nouvelle.

— Mais pourquoi ? Il t'a trompée ? Tu as rencontré quelqu'un d'autre ?

— Si seulement ! Mais non, rien de tout ça. J'aurais dû voir depuis longtemps que ça ne pourrait pas coller, mais je ne voulais pas regarder la réalité en face.

Un silence s'installe quelques secondes et je sais d'avance que je ne vais pas aimer la phrase qui suivra et que je vois venir grosse comme l'Empire State Building.

— C'est à cause de ce que t'a dit Marie avant de mourir ?

Bingo.

— Tout ne se rapporte pas à Marie, Viv. Je suis capable aussi de prendre des décisions toute seule comme une grande. C'est cette histoire de mariage, ça m'a obligée à me poser les bonnes questions. Et, crois-moi, cela n'a absolument rien à voir avec Marie. Si tu veux tout savoir, c'est plutôt Grenoble qu'il faut blâmer.

— Grenoble ? C'est qui, ce type ?

Je ris.

— Grenoble, la ville ! Tu es vraiment convaincue qu'il y a un autre homme derrière tout ça, dis-moi !

— Eh bien, en général, c'est la raison pour laquelle on quitte quelqu'un, non ? Pour quelqu'un d'autre. Rarement pour se retrouver seule.

— Alors oui, tu as raison, je quitte Germain pour quelqu'un d'autre. Je quitte Germain pour moi. Je n'ai jamais vraiment été seule avec moi, et j'ai envie de tenter le coup.

— Et que vient faire Grenoble là-dedans ?

Je lui raconte l'annonce, le rendez-vous avec M. Louvier, le contrat déjà reçu, la beauté de la montagne, l'envie de faire quelque chose qui me plaise vraiment.

— Et tu pars dans combien de temps ?

— Les cours commencent début mars. D'ici là je dois me trouver un appartement, déménager mes affaires, trouver un boulot là-bas…

— C'est pas un boulot, professeure de danse ?

— Si, mais seulement un contrat de dix heures, ça risque d'être court pour payer le loyer. Je dois rencontrer la patronne d'un salon de thé la semaine prochaine. A priori, elle cherche quelqu'un pour un mi-temps.

— C'est loin, Grenoble…

— Tu viendras me voir ! Ce sera l'occasion pour toi de porter ta fabuleuse combinaison de ski rose fluo.

— Et Germain…

Elle hésite quelques instants.

— Tu sais comment il va ? reprend-elle.

— À vrai dire, non. J'étais même surprise que tu ne sois pas au courant. Je pensais qu'il l'aurait dit à Nico.

— Je te garantis que s'il était au courant et qu'il ne m'a rien dit, il va m'entendre, celui-là !

Nous rions toutes les deux. Je suis heureuse que Viviane ne m'en veuille pas. J'avais peur de sa loyauté envers Germain, de son inimitié avec Marie. J'en avais presque oublié son amitié pour moi.

— Dis, Viv, est-ce que tu pourras… te renseigner quand même auprès de Nico ? Savoir si Germain va bien…

— Ne t'inquiète pas pour lui, je suis certaine qu'il s'en remettra. Vous n'étiez ensemble que depuis quelques mois.

La conversation terminée, assise sur le lit de ma chambre d'adolescente, adossée contre le mur, je peux commencer à penser aux jours à venir. Grenoble, la danse, une nouvelle vie.

19

27 janvier

J'ai rendez-vous avec Nadège à 16 heures. Au départ, elle avait proposé, sachant que j'étais à Paris, que l'on échange par téléphone, mais j'ai préféré que l'on se voie au salon de thé. Un peu pour m'imprégner de l'ambiance, beaucoup pour fuir la capitale.

J'ai en fait une peur bleue de croiser Germain. C'est la première fois que je suis dans les Stan Smith de celle qui quitte, sans doute que la pointure est trop petite parce que je ne suis pas super à l'aise… N'étant pas très courageuse, j'ai toujours préféré être celle qu'on quitte plutôt que celle qui part.

Dans le TGV, le coude appuyé contre la fenêtre, je regarde défiler les paysages à toute vitesse. Si j'étais poète, je ferais un parallèle avec ma vie qui s'emballe depuis quelques jours ; au lieu de ça, je me contente d'avoir la nausée et de regretter le sandwich aux œufs que j'ai avalé il y a trente minutes.

Il paraît qu'il ne va pas trop mal[1]. C'est Viviane qui me l'a dit hier. Je n'en crois pas un mot, je la connais, je sais qu'elle préfère m'épargner. Nicolas et lui ont passé plus de temps ensemble que d'habitude, ça me console un peu de savoir qu'il n'est pas tout seul.

Le directeur de l'hôtel m'accueille chaleureusement lorsque j'arrive dans le hall. Il se souvenait parfaitement de moi lorsque j'ai appelé pour de nouveau réserver une chambre.

— Bonjour, mademoiselle Greene. Vous avez fait bon voyage ?

— Très. Juste un peu mal au cœur[2].

— Grenoble vous manquait ? Vous avez prévu de venir régulièrement ?

— Eh bien, pour tout vous dire, j'ai prévu de m'installer définitivement. J'ai rendez-vous d'ailleurs tout à l'heure pour un poste de serveuse. À ce propos, vous n'auriez pas à tout hasard des bons plans pour des appartements à louer ?

— Là, comme ça, non. Mais je peux me renseigner ! Vous cherchez quelque chose en particulier ?

— Quatre murs et un toit, ce sont à peu près mes critères, dis-je en souriant.

— Je vais passer quelques coups de fil et si jamais j'ai des pistes je vous le fais savoir.

C'est moi ou les gens ici sont tous serviables et souriants ? Enfin presque. J'oubliais le type de la dernière fois sur les pistes.

---

1. Germain. Pas le sandwich…
2. Le sandwich cette fois, le sandwich.

À l'heure dite, je suis devant *Aux Délices de Nadège*. Derrière les vitres, comme la dernière fois, se trouvent une multitude de paniers. Muffins, cookies, donuts et scones font gronder d'envie mon estomac, manifestement remis de ses démêlés avec le sandwich aux œufs. Je pousse la porte et suis à nouveau séduite par la décoration intérieure, cosy et romantique. Des chaises en bois avec des assises confortables, des tables recouvertes de nappes fleuries, des assiettes en porcelaine avec des tasses assorties. Des bougies de toutes les tailles sont réparties un peu partout.

Un parfum de vanille et de cannelle flotte dans l'air. Au fond de la pièce se trouve un comptoir garni de gâteaux. Je crois deviner des cheesecakes, apple pies et autres gourmandises qui mettraient l'eau à la bouche de ma mère. Une porte battante, comme celles que l'on pouvait trouver dans les saloons, donne sur ce qui doit être la cuisine.

Je m'apprête à appeler afin de savoir s'il y a quelqu'un lorsque la femme qui nous a servis, Sacha et moi, sort de la cuisine, un plateau de mini-sandwichs entre les mains.

— Vous êtes Molly ?

— Oui.

— J'aime les gens qui sont à l'heure, me dit-elle en me serrant la main. Un bon point pour vous. Moi, c'est Nadège. Asseyons-nous. J'espère que vous avez faim, je crois que j'ai vu un peu large niveau sandwichs.

Nadège est une petite femme un peu ronde d'une quarantaine d'années, aux yeux verts et les cheveux coupés court. Quelque chose de maternel se dégage d'elle.

Nous prenons place autour d'une table sur laquelle se trouve une théière fumante et un assortiment de ce que j'ai aperçu dans la vitrine. Nadège me sert une tasse de thé.

— Vanille-caramel, me dit-elle, j'espère que vous aimez ?

— Ce sera parfait.

Je bois une gorgée de thé et choisis un muffin à la myrtille.

— Alors, expliquez-moi tout. Pour quelles raisons souhaitez-vous venir à Grenoble ?

— Il y aurait beaucoup à dire.

— On a tout notre temps, poursuit Nadège en désignant de la main la nourriture qui se trouve sur la table.

Alors je raconte. Le décès de Marie, ma promesse, les enveloppes, Germain, la demande en mariage, le week-end à Grenoble avec Sacha, la danse, la rupture. Étonnamment, je n'ai aucun mal à raconter tout ça à une parfaite inconnue. C'est comme abandonner une partie de ses bagages sur le quai.

— Voilà, vous savez tout. M. Louvier m'a engagée pour le poste de professeur de danse et il m'a indiqué que vous cherchiez une serveuse.

— Je me disais aussi que votre visage m'était familier. En tout cas, votre histoire n'est pas banale. Vous avez bien choisi la ville, on y est bien.

— Vous y vivez depuis longtemps ? demandé-je.

— Depuis près de dix ans. Mon mari et moi sommes venus nous installer ici juste après notre mariage. Il est originaire de New York, nous nous sommes rencontrés alors que j'étais en vacances pour quelques semaines aux États-Unis. Il travaillait dans un restaurant comme pâtissier, il est rentré avec moi.

— Ma mère est originaire de Chicago, d'ailleurs cet endroit lui plairait beaucoup. Et votre mari travaille également ici, donc ?

Je la vois qui se rembrunit, un voile de tristesse lui tombe sur le regard.

— Jusqu'à il y a quelques mois, oui, nous travaillions tous les deux ici. À la fois en cuisine et en salle. Il m'a appris la pâtisserie. Heureusement, maintenant que j'y pense. Pour Thanksgiving, nous sommes allés rendre visite à sa famille. Et là-bas il est tombé sur une vieille connaissance, pas si vieille que ça, et plutôt jolie. Il paraît qu'on ne peut pas lutter contre un coup de foudre, c'est ce qu'il m'a dit. Il est resté, je suis rentrée. Voilà, fin de l'histoire. Mariage à la poubelle, divorce via FedEx.

Elle attrape sa tasse et boit quelques gorgées de thé. Un sourire éclaire à nouveau son visage.

— Enfin, on ne va pas s'apitoyer sur mon sort, reprend-elle. Vous pourriez commencer quand ?

À aucun moment on n'a parlé de mon expérience, moi qui avais préparé consciencieusement une liste de défauts qui sonnent comme des qualités…

— Je vous dirais bien tout de suite, mais je n'ai pas encore d'appartement. Je vais également profiter de ma venue aujourd'hui pour chercher quelque chose. Je commence les cours de danse le 1er mars. Si cette date pouvait vous convenir, ce serait parfait pour moi.

— Allons-y pour le 1er mars ! Je sens que nous allons bien nous entendre. Je suis plutôt douée pour cerner les gens. Enfin, sauf pour Megan... C'était une fausse blonde, j'aurais dû me méfier.

Son rire emplit toute la pièce. Incroyable, une telle puissance, pour une si petite femme.

— Un sandwich ? Vous allez voir, ils sont délicieux. Ils sont aux œufs !

20

28 janvier

Il doit y avoir un alignement solaire en ma faveur ou alors j'ai fait quelque chose de bien dans une vie antérieure, toujours est-il qu'en rentrant de mon entretien avec Nadège, hier, le directeur de l'hôtel m'attendait avec une bonne nouvelle. Il avait passé un coup de fil à l'un des habitués, une sorte de promoteur immobilier, et il avait deux appartements à proposer à Grenoble. L'un était manifestement hors budget, même si je n'aurais pas dit non au jacuzzi et au dressing de quinze mètres carrés.

L'autre n'était pas très grand. Enfin, aux dires du promoteur qui doit être ignorant des standards parisiens, parce que pour moi cinquante mètres carrés, c'est un peu un palace. J'ai peur de me perdre, il faudra que je prévoie des petits cailloux pour retrouver mon chemin en cas de besoin.

L'appartement est composé d'une cuisine ouverte équipée, d'une grande pièce à vivre, d'une chambre et d'une salle de bains. Les murs sont blancs, il y a du parquet gris clair au sol, et les meubles de la cuisine sont laqués rouge ; je ne peux m'empêcher de penser que c'est exactement ce que j'aurais voulu à Paris. J'espère que Germain va bien…

Deux immenses fenêtres avec vue sur les montagnes donnent à l'ensemble un charme incontestable. Je me projette immédiatement dans les lieux. J'imagine les meubles que je pourrais disposer, les rideaux, les couleurs.

En quelques minutes, j'ai envie de vivre ici. C'est comme une sorte d'évidence qui me donne le vertige.

— Vous avez beaucoup de monde en attente pour cet appartement ? demandé-je au propriétaire, un certain Marc quelque chose.

— Pour l'instant, une seule personne est venue le visiter il y a quelques jours. Elle m'a dit qu'elle reviendrait sûrement pour une deuxième visite avec son conjoint.

— Je vous le prends ! Enfin, si vous êtes d'accord…

C'est comme un coup de foudre, je suis prête à tout pour obtenir ce logement.

— On peut dire que vous savez ce que vous voulez, vous !

— C'est étrange d'entendre ça parce qu'on me dit plutôt le contraire ces derniers temps. Je me suis sentie comme chez moi dès les premières secondes. C'est un signe, non ?

Le propriétaire me jauge un instant puis sourit.

— Deux mois de loyer d'avance et il est à vous.

J'ai un chez-moi ! Un vrai ! Un endroit bien à moi, sans passé, sans les habitudes d'un autre, sans concessions à faire.

21

18 février

C'est vrai que c'est beau, la mer, en hiver.
Emmitouflée dans mon manteau, écharpe autour du
cou et bonnet enfoncé sur les oreilles, je suis absorbée
par le spectacle des vagues. Il n'y a presque personne
sur la plage, parfait pour un moment hors du temps.

Je me suis d'abord promenée au bord de l'eau pendant près d'une heure, laissant le vent me fouetter le
visage. Puis je me suis assise, j'ai pris du sable dans
mes mains que j'ai laissé couler entre mes doigts.
J'ai laissé filer les minutes, comme ça, sans rien faire
d'autre, l'esprit bien ici et en même temps déjà loin.

Il n'y avait pas mieux que cette journée pour venir
ici. Je sors de mon sac l'enveloppe déjà décachetée
pour la relire.

Molly,
Tu te souviens de l'année où l'on est parties toutes
les deux en vacances en Espagne et de ces heures pas-
sées assises sur la plage ? J'ai toujours adoré écouter

le bruit des vagues. Oui, je sais, c'est incroyablement
cliché. Qui n'aime pas écouter le bruit des vagues...

Et est-ce que tu te rappelles ce type qui était à
côté de notre tente ? Sans aucun doute le mec le plus
beau que j'aie vu de toute ma vie. Dommage qu'on
n'ait pas osé lui parler. Si j'avais su...

J'ai toujours entendu dire qu'il n'y avait rien de
plus beau que la mer en hiver, je suis bête de ne pas
être allée vérifier par moi-même. Choisis une belle
journée ensoleillée, respire à fond et ouvre grands
tes yeux pour moi.

Marie

J'ai ouvert cette lettre dès le début du mois de
février et su que je ne viendrais qu'aujourd'hui emplir
mes poumons d'air marin. Parce que demain je prends
la route pour Grenoble. Parce que demain ce sera le
début de l'inconnu et qu'aujourd'hui c'est la fin d'un
chapitre de mon histoire.

Mes parents m'ont fait la surprise de m'offrir une
voiture pour ce nouveau départ, une Fiat 500 vert
pomme que j'adore. Aux États-Unis, c'est une tra-
dition d'offrir une voiture à ses enfants. En général,
lorsqu'ils obtiennent un diplôme[1], m'a rappelé ma
mère.

Mon père me suivra, au volant de la camionnette
louée pour acheminer les quelques meubles que j'em-
porte, parmi lesquels le lit de mon enfance. Il a insisté.
C'était important pour lui, c'était rassurant pour moi.
Je ne sais pas si une Molly, ça mérite un Brad ou un

1. Et vu que je n'ai pas de diplôme...

John mais tu avais raison, Marie, il y avait au fond de moi un désir d'autre chose. J'ignore si ça va bien se passer, mais je sais que je ne regretterai rien. Ton absence me confirme cruellement qu'on n'a pas forcément tout le temps devant soi. Je vais vivre, Marie, pour moi, pour nous deux, je vais vivre.

Je vais devoir apprendre à être seule. Ce qui devrait me terroriser et me faire perdre tous mes moyens, curieusement cette fois-ci me donne des ailes. J'ai hâte d'être chez moi et non chez quelqu'un. Hâte de rencontrer mes élèves et de danser à nouveau. Même si je ne connais personne à Grenoble, à part Nadège et M. Louvier, je voudrais déjà y être.

Je replie soigneusement la lettre et la remets dans l'enveloppe. Mes yeux sont maintenant humides. On dira que c'est à cause du vent.

22

19 février

Viviane a tenu à être là pour me dire au revoir. Je ne pars pas au bout du monde, on se verra souvent mais, je l'admets, ce sera forcément différent.

Dès potron-minet[1] tout est chargé dans la camionnette. Mes vêtements, mon lit et un canapé flambant neuf que mon père a tenu à m'offrir. Un canapé bleu paon comme je les aime, avec de gros coussins et une large assise, pour s'y blottir.

J'ai tenté de refuser, arguant qu'ils venaient déjà de m'offrir une voiture. Rien à faire. C'est son moyen de me dire qu'il m'aime et qu'il aura du mal à me sentir loin de lui. Dans la famille, on a toujours eu des difficultés à exprimer nos sentiments avec des mots.

À 9 heures, je vois la voiture de Viviane se garer dans la rue. Elle en sort avec, dans les bras, deux gros paquets-cadeaux.

— Mais qu'est-ce que tu as fait comme folie ? m'exclamé-je en m'approchant pour l'accueillir.

1. Il fallait le placer, celui-là !

— Des bricoles ! Qui seront cassées d'ici quelques secondes si tu ne me débarrasses pas d'un de ces cartons.

Je me précipite. C'est assez lourd. Je crains le pire. Viviane est en effet tout à fait capable de m'offrir une collection d'encyclopédies ou bien les œuvres complètes d'Émile Zola pour mes longues soirées d'hiver.

Une fois rentrée chez mes parents, à peine les paquets posés dans le couloir, je ne peux m'empêcher d'arracher frénétiquement les papiers cadeaux. Pas d'encyclopédie ni de livres destinés à prendre la poussière[1], à la place un blender et un robot cuiseur.

— Tu es dingue, Viv, ça coûte une fortune, ces machins-là !

— Je ne peux pas te laisser partir et imaginer que tu vas exclusivement te nourrir de plats cuisinés. Avec ça, même un enfant de cinq ans serait capable de sortir un plat digne d'un trois étoiles.

Je vois ma mère baver d'envie devant le robot.

— J'en connais une qui sautera dessus si jamais je ne m'en sers pas, dis-je à Viv tout en la prenant dans mes bras pour la remercier. Il ne fallait pas, mais ça me touche énormément.

— Je compte sur toi pour me faire de délicieux cocktails chaque fois que je viendrai te voir. Parce que je vais m'inviter, et souvent !

Nous savons l'une comme l'autre que ce « souvent » est exagéré. Mais qu'importe, je prends quand même ce « souvent », rien que pour l'intention.

1. Toutes mes excuses à Émile Zola...

— Je crois que tout est prêt, ma chérie, nous inter-rompt mon père. Il faut prendre la route si l'on veut arriver avant la nuit.

— Oui, papa. Mais je voudrais faire une dernière chose avant de partir. Ce ne sera pas long. Vous m'attendez là ?

Sans plus d'explications, je sors de la maison pour me rendre chez Charlotte. Je tiens à lui dire au revoir également.

C'est une Charlotte agréablement surprise qui m'ouvre la porte.

— Tiens, Molly, ça me fait plaisir de te voir ! Alors, c'est aujourd'hui le grand départ ? Ta mère m'a annoncé que tu déménageais pour Grenoble. Ce n'est pas la porte à côté, dis-moi !

— Non… Mais ce n'est pas la distance que je cherche, enfin, je ne crois pas…

— Ne t'inquiète pas pour lui, me dit-elle, il s'en remettra.

Un instant il m'était sorti de la tête que Charlotte travaillait avec Germain.

— Je n'ai jamais voulu le faire souffrir, tu sais. Je suis vraiment désolée.

— Je le sais, Molly, je te connais bien. Il n'était pas fait pour toi et c'est tout, on n'y peut rien.

Je la serre dans mes bras, réalisant combien elle va me manquer. Alors que je m'apprête à retourner chez mes parents, j'aperçois Sacha dans le jardin.

— Je reviens. Il me reste encore une personne à voir.

Je traverse la maison et me dirige vers la porte-fenêtre. Sacha a le dos tourné, occupé à faire je ne sais trop quoi.

— Sacha ?

Il se retourne brusquement.

— Ah, c'est toi ! Tu m'as fichu une de ces peurs. Alors c'est aujourd'hui que tu pars ? Ma mère m'a dit pour ton déménagement.

— Oui. J'ai trouvé du travail et un appartement à Grenoble, mais avant, je voulais te dire… que je suis désolée, Sacha, c'est toi qui avais raison. Je n'étais pas vraiment heureuse. Et puis, je voulais te dire, aussi, merci d'avoir accepté de venir avec moi en week-end au ski. Je sais que pour toi ça n'était pas très naturel. Tu ne peux pas savoir à quel point ça m'a touchée.

— De rien. Ça m'a fait plaisir à moi aussi. Et désolé pour Germain.

— Oh, tu sais. C'est comme ça. D'ailleurs, j'y pense, c'est un peu grâce à toi tout ce qui m'arrive ! C'est toi qui m'as emmenée dans ce salon de thé. Je n'aurais jamais vu l'annonce sinon. Et, tu ne devineras jamais, je vais justement bosser pour Nadège.

— Nadège ?

— La gérante du salon de thé. Incroyable, non ?

— Comme tu dis. Tu as l'air heureuse en tout cas.

— Oui, je crois que oui.

Un sourire apparaît sur son visage.

— Je suis vraiment ravi pour toi, Molly ! poursuit-il en m'embrassant sur la joue. Et je voulais te dire… Si jamais tu as besoin, si jamais ça ne tournait pas comme tu voulais, tu peux m'appeler. N'hésite pas.

Je le serre contre moi. Pourquoi est-ce que cela n'irait pas ? Jamais je n'ai été aussi sûre d'une décision que j'ai prise.

23

21 février

Je m'étais souvent demandé ce que ça faisait de vivre seule. De rentrer chez soi en sachant qu'il n'y aurait personne, de préparer à manger, de s'installer devant la télé, d'aller se coucher, tout ça seule avec soi. Et ce, soir après soir.

Quand j'y pensais, cela me paraissait terrifiant. J'étais convaincue que la solitude devait engloutir toute forme de bonheur et de sécurité. Que les gens devaient être prostrés sur leur canapé à l'affût du moindre bruit, avec un ustensile de cuisine à portée de main. Au cas où.

Il n'y a rien de tout ça. Je reconnais que je ne suis pas encore une experte en solitude, je n'ai passé qu'une soirée toute seule après tout, mais je ne vois pas d'ombre surgir du coin de l'appartement prête à tout recouvrir. Il n'y a pas non plus un vent froid de désolation qui souffle à travers les pièces.

En fait, je me sens bien dans cet appartement. Mon appartement. Les quelques meubles amenés de Paris sont installés et j'ai profité hier de la présence de mon père, et de la camionnette, pour acheter deux, trois bricoles qui manquaient… Une table basse, un meuble télé, une commode, une armoire, des rideaux, un grand tapis, deux lampes, des cadres pour les murs, des assiettes et des verres, un plateau (inutile donc indispensable) pour transporter mon repas jusqu'à la table basse… Bref, deux, trois bricoles.

Mon défi du jour : monter le meuble télé. Mon père a proposé de s'en charger avant de partir mais j'ai refusé. Puisque je vais vivre seule, autant apprendre à me débrouiller. Je me suis équipée d'une super mallette à outils et d'une visseuse dévisseuse qui, bien entendu, me donne envie de visser dévisser tout et n'importe quoi.

— Ma petite Molly, tu n'es pas plus bête qu'une autre, tu vas bien réussir à monter ce meuble toute seule !

Pour me donner du courage, je me prépare un cocktail avec le blender que m'a offert Viviane. J'ai mixé des fruits et ajouté au mélange une petite dose – bon, d'accord, une bonne dose – de tequila. Il est 11 h 30, une heure tout à fait raisonnable pour boire un cocktail.

Je bois une gorgée, puis deux, repose le verre : meuble télé, à nous deux !

Je déballe le carton et étale devant moi l'ensemble des pièces à assembler. Première constatation, il y en a beaucoup. Deuxième constatation, elles ont l'air toutes pareilles.

Dernière et douloureuse constatation, il n'y a pas de notice de montage. C'est bien ma veine. Je suis donc censée deviner quel morceau s'emboîte dans quel autre, c'est ça ? Perplexe, ma visseuse dans la main, je visse et dévisse de l'air, espérant que le génie du montage de meuble apparaisse pour me filer un coup de main.

Il faut procéder avec méthode, regrouper les planches de même taille, les vis et charnières. Mais toutes les planches semblent identiques alors que chaque vis paraît différente de l'autre.

Une heure et demie et deux cocktails supplémentaires plus tard, je me lamente sur le sol, ma visseuse toujours à la main. Aucun génie n'est apparu et il n'y a pas de meuble télé de monté. Ni même de meuble qui pourrait commencer à ressembler à un meuble télé.

De l'aide, il me faut de l'aide. Je me relève, à moitié titubante, pour prendre mon téléphone dans mon sac. Je fais défiler ma liste de contacts.

Après tout mon discours de la veille sur ma débrouillardise, je ne peux décemment pas appeler mon père, question de fierté. Germain non plus, cela va sans dire. Je pense un instant à Viviane, avant de renoncer par peur d'entendre parler de cette mésaventure pendant des années.

Ma mère non plus, Charlotte encore moins, Sacha… Ah oui, tiens, Sacha, peut-être qu'il pourrait m'aider. Après tout, il m'a dit de ne pas hésiter à l'appeler si tout ne se passait pas comme prévu. Et là, je pense pouvoir dire, une planche dans une main et ma visseuse dans l'autre, que tout ne se passe pas comme prévu.

Cela va déclencher quelques sarcasmes, mais au point où j'en suis, je compose son numéro.

— Allô ?

— Sacha ? Excuse-moi de te déranger, c'est Molly. Je t'appelle parce que mon meuble télé ne se visse pas.

— Molly ? C'est bien toi ? Tu as une drôle de voix… Ton meuble télé ne se visse pas ? Qu'est-ce que c'est que cette connerie ?

— Ça va très bien. J'ai juste un peu chaud. Mais ça va très bien. Et toi, ça va ?

— Tu n'aurais pas un peu bu par hasard ? me demande-t-il.

— Bien sûr que non ! Pour qui tu me prends ! J'ai juste pris une gorgée de cocktail. Et puis, je suis grande. Dis-moi juste comment faire pour visser ce maudit meuble télé et ensuite je te fiche la paix.

— Suffit de suivre la notice. Un gamin de cinq ans devant une boîte de Lego sait ça.

— Ha ha ha, mais il n'y a pas de notice ! C'est justement là le problème. C'est une blague du gars qui a découpé les planches pour me rendre dingue. Et les planches, elles sont toutes pareilles.

— Tu as bien regardé au fond du carton ?

— Pour qui tu me prends ! Pour une imbécile ? Bien sûr que j'ai bien regardé dans le carton, il n'y a pas… de notice…

Alors qu'il ne peut pas me voir, je brandis le carton comme pour le lui prouver, quand j'aperçois une petite liasse blanche qui me nargue, scotchée contre une paroi intérieure… La notice.

— Euh… Sacha, je vais te laisser, je crois qu'on sonne à la porte.

Je ne lui laisse pas le temps de répliquer et je raccroche, me félicitant à nouveau de ne pas avoir appelé Viviane.

Avec la notice, c'est tout de suite plus facile. Sans les trois cocktails, j'aurais fait ça en un clin d'œil.

Bilan et leçons de cette première journée :
– Le meuble télé trône fièrement en face de la table basse et il ne s'est pas écroulé lorsque j'ai posé le téléviseur dessus. Sur la notice, il est indiqué un temps de montage de quarante-cinq minutes. C'est presque ça. À trois heures près.
– Je sais très bien faire fonctionner le blender offert par Viviane, ce qui m'amène ivresquement à la leçon suivante :
– Ne pas préparer de cocktails quand on doit faire du bricolage.
Sans oublier :
– Ne pas se gratter avec la visseuse dévisseuse. Croyez-moi sur parole.

24

1er mars

C'est une Nadège tout sourires qui m'accueille pour mon premier jour. Un peu plus d'une semaine que je suis installée à Grenoble, je commençais à trouver le temps long. Vivre seule est une chose, ne connaître personne avec qui papoter en est une autre.

— Je suis bien contente que tu sois là, me dit Nadège. Entre la cuisine et la salle, ce n'est vraiment pas simple de tout gérer. Viens que je te montre un peu comment tout fonctionne. C'est encore assez calme, mais d'ici 11 heures les premiers clients vont commencer à arriver. Il y a surtout beaucoup d'habitués, des gens du coin. Les touristes en général préfèrent s'installer directement au pied des pistes.

S'ensuit un nombre considérable d'informations, sur le fonctionnement du salon, les habitudes des clients, les livraisons, l'élaboration de la carte, la fabrication des crumpets et muffins. J'aurais dû emporter un carnet pour prendre des notes et ne rien oublier.

— J'espère que cela ne t'ennuiera pas de pâtisser un peu avec moi ? demande Nadège. Certaines préparations doivent se faire la veille et c'est quand même plus sympa de pouvoir s'en occuper à deux tout en bavardant.

— Pas du tout. J'ai peur d'être novice (je n'ose pas dire nulle) en cuisine, mais j'apprendrai volontiers.

Avant l'arrivée des premiers clients, Nadège me raconte un peu sa vie. Sa rencontre avec son mari, leur installation à Grenoble. Je sens qu'elle est toujours très attachée à lui. Et que leur séparation lui cause encore beaucoup de chagrin. Nadège est plutôt bavarde mais, chose surprenante, elle sait aussi très bien écouter. Elle me pose des questions et s'intéresse à moi. Nous parlons de Marie. Je lui raconte des anecdotes de mon enfance. Le temps s'écoule sans que nous nous en apercevions, et nous sommes surprises quand le tintement de la porte d'entrée annonce l'arrivée du premier client.

— Bonjour, Antoine ! lance Nadège.

Antoine, enfin M. Louvier en ce qui me concerne, lui fait une bise et me tend la main pour me saluer.

— Bienvenue, mademoiselle Greene.

— Molly, vous pouvez m'appeler Molly.

— Bien installée ?

— Je n'aurais pas pu rêver mieux. J'ai une vue superbe sur les montagnes.

— Vous m'en voyez ravi. Ce soir 18 h 30 comme convenu ?

— Oui. J'ai vraiment hâte de faire la connaissance de mes petites élèves. Je ne vous remercierai jamais assez pour votre confiance.

— Ce n'est pas grand-chose. Et vous n'imaginez pas à quel point elles ont hâte également, me dit-il avec un grand sourire. Nous leur avons dit que vous aviez été petit rat à l'Opéra de Paris. Vous auriez vu briller leurs yeux ! Attendez-vous à devoir répondre à mille questions tout à l'heure. Je vous laisse, mesdames, à ce soir, Molly.

Nadège lui glisse dans la main un sachet garni de viennoiseries en le raccompagnant à la porte.

Pendant trois heures, je prends des commandes, sers et desserts des tables, observe Nadège s'affairer en cuisine et avoir un mot gentil pour chacun. Pas étonnant que la clientèle soit constituée d'habitués. Elle connaît leur prénom, demande des nouvelles des enfants de l'un, de la mère hospitalisée d'un autre. Tout ça avec une énergie inépuisable et un sourire qui ne quitte jamais ses lèvres.

À 14 h 30, une fois le dernier client parti et les portes refermées, il nous faut déjà préparer la réouverture à 16 h 30. Je crois que jamais je ne me ferai au rythme infernal des métiers de la restauration, même si l'ambiance d'*Aux Délices de Nadège* est bien plus agréable et les odeurs bien plus gourmandes que dans la brasserie de M. Patterson.

— Franchement je t'admire, Nadège. Il y a du monde comme ça tous les jours ?

— En général oui, répond-elle. C'est vrai que le salon marche bien. Je n'ai pas vraiment de mérite, j'aime ce métier et j'aime les gens. Tu as vu comme boire un bon thé et croquer dans un morceau de sandwich ou de gâteau les met de bonne humeur ? Allez, sauve-toi si tu veux pouvoir te reposer avant ton premier cours. Tiens, ajoute-t-elle en me tendant un sachet en papier bien rempli. Prends quelques cookies, rien de tel pour briser la glace.

— Merci beaucoup ! Je vais les amadouer à coups de pépites de chocolat et noisettes grillées !

— À mon avis, elles vont t'adorer avec ou sans pépites de chocolat. Au fait, Molly…

— Oui ?

— Tu me diras… pour la lettre ? Celle de ton amie que tu dois ouvrir. Je sais que cela ne me regarde pas mais je suis une incorrigible curieuse.

Je ris.

— Bien entendu que je te dirai !

Trente-cinq minutes plus tard, je suis affalée dans mon canapé, ravie de pouvoir rentrer chez moi à pied, sans avoir à emprunter le métro. La température extérieure est plutôt fraîche, mais pour rien au monde je ne prendrais ma voiture. Et ces quelques minutes de marche me permettront d'éliminer tout ce que Nadège me fait goûter. « C'est important de connaître les saveurs pour pouvoir conseiller le client », a-t-elle justifié chaque fois qu'elle me fourrait quelque chose dans la bouche. « Et puis, as-tu jamais mangé quelque chose de meilleur que ce sandwich banane et beurre de cacahuète ? » Non, rien de meilleur, c'est sûr. Rien de moins diététique non plus, cela dit.

J'ai quelques heures devant moi avant de rencontrer ces petites demoiselles en tutu et chaussons. Plus qu'il n'en faut pour ouvrir la quatrième enveloppe que Marie m'a envoyée. Je les ai toutes rangées dans une boîte sous la table basse.

L'enveloppe correspondant au mois de mars est plutôt fine, ce qui me rassure un peu. Si elle avait dans l'idée de m'envoyer faire le tour du monde à vélo, elle aurait été plus épaisse. Enfin, pas forcément... Voyageuse de l'extrême, Marie était capable de partir pendant une semaine avec un sac à dos et un vague plan de route. M'envoyer faire le tour du monde avec un billet de 20 euros ne la dérangerait pas...

Molly,
Est-ce que tu as déjà fait l'amour avec un dieu du sexe ?...

Ça commence fort... Plus direct que ça, ça n'existe pas ! Je remballe mes inquiétudes au sujet du voyage de l'extrême, non sans appréhender la suite de ce que je vais lire.

... Je ne dis pas que ce n'est pas le cas avec Germain... Mais je le vois mal te faire l'amour contre un mur. Ça doit quand même être quelque chose, tu ne crois pas ? Pourquoi est-ce que je n'ai pas rencontré de type qui me fasse l'amour contre un mur ?...
Voilà bien une chose qui va me manquer, m'envoyer en l'air.
Je te sens nerveuse ? Aurais-tu peur de ce que je vais te demander ?

Moi ? Absolument pas ! Je suis la sérénité incarnée ! Telle une fakir sur le point de s'asseoir sur un tapis de clous, je poursuis :

... Rassure-toi, va, je ne vais pas non plus exiger de toi que tu couches avec le premier venu, même si je pourrais te conseiller deux ou trois types qui valent le détour.

Tu crois que lire des livres érotiques apporte quelque chose ? Je veux dire, les vrais livres, pas les 50 nuances machin chouette. Tu te souviens, on en avait vu quelques-uns dans la librairie à côté du boulot de ma mère ? Je regrette encore de ne pas avoir osé en acheter un. Il est grand temps de réparer ça ! Tu sais ce que l'on dit, il ne faut pas mourir idiot...

Je te souhaite donc une belle lecture ! Avec ou sans Germain.

Marie.

P.-S. : Pitié, dis-moi que ce sera sans Germain. Que tu as rencontré un John, un Brad, voire même un Luke (je peux tolérer un Luke) prêt à te faire l'amour contre un mur !

Ça aurait pu être pire...

25

Il paraît que lorsqu'on est stressé il faut imaginer les gens tout nus. Je me demande qui a bien pu inventer un truc pareil. Si demain je me mets à imaginer les clients d'*Aux Délices de Nadège* tout nus, je risque d'en lâcher sur eux mon plateau de thé fumant. Ce qui serait passablement douloureux, qu'ils aient ou pas leurs vêtements sur le dos.

Mais là, face à ces huit paires d'yeux alignés qui me dévisagent, je suis incapable d'imaginer quoi que ce soit.

— Est-ce que c'est vrai que tu as dansé à l'Opéra de Paris, madame ?

La question vient d'une petite fille aux boucles blondes et aux yeux marron, habillée d'un justaucorps et de chaussons de danse dont je devine qu'ils ont dû coûter un certain prix.

— Molly, tu peux m'appeler Molly. Vous toutes, d'ailleurs. Et pour répondre à ta question, oui, j'ai fait partie des petits rats de l'école de danse de l'Opéra de Paris. Mais c'était il y a longtemps et…

— Ma maman dit que ça peut pas être vrai, m'interrompt la petite fille d'une voix pleine d'assurance.

— Eh bien, tu sais, ta maman peut penser que ce n'est pas vrai, ce n'est pas très grave. Et puis c'était il y a longtemps.

— Mais tu sais toujours danser ? me demande une autre petite fille. Même si ça fait longtemps ?

C'est là qu'il faudrait dégainer l'option cookies, non ? Je sens que ça ne démarre pas au mieux.

— Voilà ce que je vous propose : vous me dites d'abord comment vous vous appelez et ensuite je vous fais une petite démonstration sur l'une de mes musiques préférées, d'accord ?

La petite fille aux boucles blondes et à la maman sceptique se prénomme Alice. À côté d'elle il y a Zoé, Camille, Elsa, Yasmine, Louise, Maddie et Lou. Cette dernière est un peu en retrait. Elle est sagement assise les genoux bien serrés, les bras le long de son corps, le regard perdu, comme éteint. Il émane d'elle une sorte de tristesse ou de solitude qui me touche alors que je l'observe depuis seulement quelques minutes.

Elles ont entre six et huit ans.

— Et le jeune homme qui est là-bas ? demandé-je en désignant un petit garçon assis contre l'un des murs de la salle de danse.

— C'est Gabriel, répond aussitôt Maddie. C'est mon grand frère. Enfin, il a que trois ans de plus que moi, hein, moi aussi, je suis une grande. Ma maman, elle peut pas le garder parce qu'elle apprend le Pilates. Il paraît que c'est très dur et que ça fait mal au ventre. Tu connais, toi, le Pilates ? Et comme on n'a plus de nounou depuis que je suis à la maternelle, eh bien Gabriel, il est obligé de rester là. Je suis en grande section, moi, tu sais. Et bientôt j'irai en CP.

Ma maman, elle dit que c'est bien, le CP, parce qu'on apprend à lire…

M'extrayant de ce flot de paroles, je fais un signe de tête au petit garçon qui en retour m'adresse un timide sourire.

— Bon, et si on dansait maintenant ?

— Oui !!! répondent en chœur mes petites élèves.

À l'exception de la petite Lou.

— Alors, comme promis, je vous montre mon passage de ballet préféré et ensuite je veux voir ce que vous savez faire, d'accord ?

Au bout de quarante-cinq minutes de cours, je suis adoptée. Après mes quelques pas de danse sur la musique du *Lac des cygnes*, chacune des fillettes s'est empressée de me donner un aperçu de ses talents. Le tout avec application, en quête de mes félicitations. Chaque compliment de ma part les faisant rougir de plaisir.

Alice a tenu à préciser que sa maman lui avait dit qu'elle serait danseuse étoile un jour parce qu'elle était très douée.

La petite Lou a participé, malgré un enthousiasme plus discret. Et Gabriel, le frère de Maddie, eh bien, je ne l'ai pas entendu. Il est resté immobile, comme fasciné.

À présent elles sont toutes assises en tailleur. Je leur ai promis un délicieux cookie pour célébrer ce premier cours de danse et le tout nouveau lien qui nous unit. J'ai également proposé à Gabriel de se joindre aux filles, après tout il mérite lui aussi une petite douceur.

Une fois les cookies distribués, je les regarde mordre dedans à pleines dents, ravis de l'aubaine.

— Ils sont drôlement bons, tes cookies, madame ! me dit Gabriel la bouche pleine.

— Ce n'est pas moi qui les ai faits mais une de mes amies, Nadège. Je lui dirai que vous les avez aimés, ça lui fera très plaisir.

Les cookies à peine terminés, la porte de la salle de danse s'ouvre pour laisser entrer les parents. Chacune de mes élèves s'empresse de courir pour raconter le cours avec force gestes et détails.

Je souris, fière d'avoir suscité cet enthousiasme. Certains parents viennent me serrer la main pour se présenter.

— Bonsoir, je suis la maman d'Alice. Ça s'est bien passé ?

— Bonsoir, et moi, c'est Molly. Oui, ça s'est très bien passé. Les petites ont été adorables. Volontaires et très appliquées.

— Oui, c'est tout mon Alice. Je tiens à ce qu'elle se donne à fond dans tout ce qu'elle entreprend. Dans la vie, il n'y a pas de place pour les seconds.

D'un air satisfait, la mère d'Alice attrape la main de sa fille et l'entraîne à l'extérieur de la salle. Je les regarde s'éloigner et manque d'éclater de rire devant leur démarche similaire, tête haute, épaules en arrière, une démarche qui ne manque pas de comique pour une petite fille de sept ans.

Il ne reste plus que Lou, sagement assise contre le mur de la salle, manteau sur le dos et écharpe autour du cou.

— Ta maman ne devrait plus tarder à arriver, lui dis-je dans un sourire.

— Je n'ai pas de maman, me répond-elle.

Bravo Molly ! Françoise Dolto doit se retourner dans sa tombe...

Ne sachant que répondre, je ne dis rien. Je traverse la salle pour aller récupérer mon sac et ranger mes CD à l'intérieur. Voilà sans doute pourquoi cette petite fille a l'air si triste. Elle n'a plus de maman...

— Bonsoir, je suis le père de Lou. Veuillez m'excuser pour le retard, j'ai été retenu.

Cette voix m'est familière. C'est étrange, vu que je ne connais personne ici. Une voix chaude et forte. Mais...

Je me retourne d'un bloc. C'est bien ce qu'il me semblait. Le type de l'autre fois sur la piste de ski se tient devant moi. Sans son blouson de ski. Il est cette fois-ci habillé d'un pantalon de ville sombre et d'une chemise bleue dont il a remonté les manches sur ses avant-bras. Pas de doute, c'est bien lui.

— Tiens donc. Vous ici. J'espère que vous dansez mieux que vous ne faites du ski ! me lance-t-il avec un clin d'œil.

Manifestement, lui aussi m'a reconnue.

— Mais je skie très bien ! Il se trouve que je m'échauffais. Si vous m'aviez croisée quelques minutes, enfin plutôt quelques heures plus tard, vous auriez révisé votre jugement.

Il éclate de rire.

— Ah oui ? Alors, pardon. Je vous présente toutes mes excuses pour m'être moqué d'une aussi grande skieuse.

— Vous faites bien. Excuses acceptées.

— Bien sûr, vous êtes partante pour me montrer l'étendue de vos talents sur piste ?

— Eh bien…

— Papa, tu sais, Molly, elle a été petit rat à l'Opéra de Paris, nous interrompt Lou. Et elle danse très bien.

— C'est gentil, Lou, merci beaucoup, mais toi aussi, tu danses très bien.

— Oh, je ne crois pas, répond-elle d'une petite voix en baissant la tête. Tu viens, papa, on y va ? Tu as promis que tu me ferais des crêpes ce soir.

— Je n'ai pas oublié, ma princesse. Des crêpes avec de la confiture de mirabelle.

Le regard de Lou s'éclaire quelques secondes avant de s'assombrir à nouveau. Son père lui prend la main et me tend la sienne pour me dire au revoir.

— À jeudi donc. Molly, c'est ça ?

— Oui, à mercredi.

Je les regarde s'éloigner tous les deux, quelque peu attristée par cette petite fille que je n'ai pas vue sourire et dont, à la différence des autres, je n'ai pas entendu le rire.

Ils s'arrêtent un instant et le père de Lou murmure quelque chose à l'oreille de sa petite fille avant de revenir vers moi.

— Je suis vraiment désolé de m'être moqué de vous sur les pistes l'autre jour. D'autant que je sais maintenant que vous êtes une skieuse aguerrie… Pour me faire pardonner, puis-je vous inviter à prendre un verre samedi soir ? Si vous n'avez rien d'autre de prévu, bien entendu.

— Euh… Oui, pourquoi pas. Je ne connais encore personne à Grenoble, ce sera l'occasion.

Son visage se fend d'un large sourire dévoilant des dents parfaitement blanches et alignées.

— J'en suis ravi. On dit 19 heures ? Si vous ne connaissez pas la ville, je vous propose de nous retrouver ici, ce sera plus simple.

— C'est d'accord.

— Je vous souhaite une bonne soirée, Molly.

Puis il repart en direction de Lou, qui n'a pas bougé d'un millimètre au milieu de la salle.

— Est-ce que vous allez me faire l'honneur de me dire comment vous vous appelez ? Parce que « le- papa-de-Lou », ça fait tout de même un peu long.

Il se retourne vers moi.

— Oui, pardon, c'est vrai que je ne me suis pas présenté. Je m'appelle John.

John.

« … Dis-moi que tu as rencontré un John, un Brad, voire même un Luke prêt à te faire l'amour contre un mur… »

Je ne peux empêcher mon cerveau de dérouler une scène, qui serait immanquablement interdite aux moins de dix-huit ans. Je sens la chaleur envahir mes joues. N'importe quoi, Molly, vraiment n'importe quoi.

Le sourire de John-papa-de-Lou s'est agrandi ; la même lueur moqueuse que celle du John sur les skis se lit dans ses yeux.

— Je ne pensais pas que mon prénom pouvait provoquer ce genre de réaction, me dit-il.

Je dois passer de rouge à cramoisie.

— Pas du tout, je pensais à tout à fait autre chose.

Antoine Louvier. Pantalon velours. Mocassins à glands. Voilà qui devrait faire redescendre mes joues à température ambiante.

Et puis je me suis dit que ce serait plus marrant de
se lire des histoires différentes. Après tout,
Marie voulait tout le temps qu'on se raconte qu'il
va cite arrive de la fin de Marie aurait été maligne
se mettre tous ensemble
Mais ça n'est pas comme ça que ça fonctionne.

26

4 mars

— Me voilà ! Et j'apporte les munitions !

Derrière la porte de mon appartement se tient Nadège tout sourires et les yeux pétillant d'impatience. Elle porte plusieurs sacs en papier.

Quand je lui ai expliqué ce qu'il y avait dans l'enveloppe de Marie pour le mois de mars, elle a trouvé l'idée absolument géniale. Elle m'a aussitôt demandé si Marie trouverait à redire que je partage cette tâche avec quelqu'un d'autre.

Marie aimait les soirées entre amies, voir du monde, les grandes tablées, les fous rires. Alors non, j'étais certaine qu'elle n'y verrait pas d'inconvénient.

— Tu as dévalisé la librairie ou quoi ?

— J'ai eu du mal à me décider pour un seul roman. Et puis je me suis dit que ce serait plus marrant de se lire des histoires différentes, non ? Après tout, Marie voulait faire des découvertes littéraires, elle va être servie, poursuit-elle en me tendant l'un des sacs qu'elle tient dans la main. Quant au reste, je me suis dit qu'on aurait sans doute besoin de manger, l'érotisme, ça creuse ! Je nous ai préparé quelques bricoles : des salades et des mini-sandwichs.

Je m'écarte pour laisser entrer Nadège dans l'appartement.

— Tu es une perle, dis-je tout en refermant la porte.

— Arrête, c'est moi qui te remercie de me laisser participer à cette petite soirée. Depuis que je te connais, j'ai l'impression d'avoir dix ans de moins. Les gens de mon âge sont d'un ennui, si tu savais ! Ils en sont à comparer leurs contrats de convention obsèques, c'est te dire !

Je ris. Pendant que Nadège s'installe sur le canapé, je place les sandwichs sur un plateau. Il y en a pour un régiment et de toutes les sortes.

De mon côté, j'ai préparé plusieurs litres de cosmopolitan. À bas les mojitos, vive la vodka !

Une fois le tout disposé sur la table basse, je m'assois à mon tour sur le canapé, le dos bien calé contre un accoudoir.

— Alors, montre-moi les merveilles de débauche que tu as dénichées !

Nadège a étalé entre nous sur le canapé pas moins de quatre romans.

— Nous avons donc : *Nuits chaudes pour passion dévorante, Inassouvie, Chair fraîche* et pour finir un titre que j'ai trouvé d'une subtilité incroyable, *Prise contre un mur.*

J'éclate de rire.

— Voilà un roman qui aurait beaucoup plu à Marie ! Tiens, allez, je commence par celui-là.

L'image de John et moi m'apparaît furtivement mais je m'empresse de la chasser de mon esprit. Si je

164

n'arrive pas à mieux me contrôler, cela risque d'être légèrement gênant samedi soir.

Je sers un cocktail à Nadège, m'en verse un et attrape un sandwich aux œufs dans lequel je mords avec gourmandise. Oui, en matière de sandwich, je ne suis pas rancunière.

— Nadège, c'est un délice, ce truc ! dis-je la bouche pleine. Qu'est-ce que tu as mis dedans ?

— Un ingrédient secret ! Une touche de miel.

— Plus jamais je ne mangerai de sandwich autres que les tiens.

— Ce n'est pas grand-chose. Je te donnerai mes recettes, si tu veux. Bon allez, moi, je vais choisir *Inassouvie*.

Les minutes qui suivent sont silencieuses. Nous sommes toutes les deux plongées dans nos romans. Je descends d'un trait mon cocktail. Une douce chaleur se répand dans mon estomac, une mise en jambes parfaite pour commencer une lecture érotique.

Nadège est la première à glousser.

— Écoute, écoute : « La porte de la chambre d'hôtel est à peine fermée que je sens ses mains sur moi. Il m'attrape par les hanches, et fait vite remonter ma jupe. Je sens sa respiration s'arrêter lorsqu'il découvre le porte-jarretelles venu habiller ces fesses qu'il aime tant. Je ne porte pas de culotte et ses yeux gourmands ne quittent pas ma toison. Il me mord le cou, et sans ménagement enfonce un doigt en moi, comme pour s'assurer que je suis aussi excitée que lui. Oh oui, je le suis. »

— Ah oui, et donc dès le début du roman, quoi ?!

— En même temps, on sait que cela va se finir comme ça, alors inutile de prendre un chemin de traverse.

— Là, pour le coup, c'est direct de chez direct.

— Pourquoi, les personnages du tien sont encore habillés ?

— Je n'ai lu que vingt pages, alors oui, ils sont encore habillés. Mais pas pour longtemps.

Nous reprenons chacune sa lecture. Du coin de l'œil, je vois Nadège qui rougit légèrement.

— Avoue que tu aimes ce que tu lis !

— Tu parles ici à une femme dont le mari est parti pour une autre il y a plusieurs mois, alors sur le plan parties de jambes en l'air, ma vie se résume plutôt à jambes lourdes et bas de contention.

J'éclate de rire.

— Moque-toi ! Tu verras quand tu auras mon âge.

— Côté jambes en l'air, ce n'est pas mieux non plus pour moi, tu sais. Il n'y a eu personne depuis Germain. Et avec lui ce n'était pas… Enfin tu vois, quoi.

— Alors que moi, je n'avais pas à me plaindre, au contraire.

— Ça y est, je m'écrie, j'ai un passage croustillant ! « Il s'est relevé et s'est posté, fier, droit et dur, face à elle. Alors elle a compris et a commencé à le lécher doucement. Puis elle a resserré ses lèvres pour le sucer lentement, puis plus vite, mesurant son effet par l'accélération de son souffle. Lorsqu'elle l'a enfoncé bien loin au fond de sa gorge, il a gémi… elle a aimé. »

— Ils mettent le temps, mais quand ils y vont, ils ne font pas semblant !

Je glousse à mon tour.

— Mais comment font les auteures pour écrire des trucs pareils ? Tu crois qu'elles sont obligées de tester pour pouvoir bien raconter ?

— En ce qui me concerne, il me faut bien goûter mes recettes alors… me répond-elle avec un clin d'œil.

— Je ne sais pas si ce genre de littérature est une bonne chose quand on y réfléchit. Imagine si tu es en couple avec un mec avec qui faire l'amour se résume à trois minutes chrono chaussettes incluses ?

— Mais justement, cela ouvre de nouvelles perspectives, non ? Le pire, ce serait d'ignorer que le sexe, ça peut aussi être ça.

— Ou que les chaussettes, ce n'est pas non plus une obligation.

— À bas les mecs qui gardent leurs chaussettes !

— Et ceux qui demandent « Alors, comment j'étais ? » !

— In-su-ppor-ta-ble !

La soirée s'écoule entre cocktails et lectures de passages érotiques. Nous ne prenons plus le temps de lire complètement l'histoire pour nous concentrer uniquement sur les passages de sexe torrides, ce qui est assez simple vu que c'est à peu près un chapitre sur deux.

L'alcool aidant, nous rions comme deux folles, sans aucun doute émoustillées par toute cette sensualité étalée sur papier.

Nous sommes interrompues vers 23 heures par plusieurs coups frappés à la porte.

— Tu crois que ce sont deux mecs venus pour nous faire vivre une nuit de sexe mémorable ? me demande Nadège en riant.

— Je n'en sais rien, mais avec toutes ces lectures je suis chaude comme une poêle qui attend sa pâte à crêpes. Je serais même capable de dire oui à un trois-minutes-chaussettes-incluses.

Je me lève du canapé et titube vers la porte d'entrée. Peut-être que c'est John qui m'attend dans le couloir. Torse nu, muscles saillants, regard langoureux, venu là pour m'ouvrir mon chemisier, attraper l'un de mes seins et enrouler sa langue autour de la mienne… Voilà ce que c'est : à lire trop de romans érotiques, mon cerveau déraille.

Si ça se trouve, c'est le mec du syndic qui vient me faire signer un document quelconque pour l'entretien des parties communes.

Sans trop y croire, j'ouvre la porte, incapable cependant de ne pas adopter une posture aguicheuse. Mon excitation retombe en flèche quand je découvre qui se trouve face à moi.

27

— Viviane ? Mais qu'est-ce que tu fais là ?

— Je viens te rendre visite, me répond-elle timidement, à mille lieues de son assurance habituelle.

— Oui, je vois ça, mais tu ne m'avais pas dit que tu comptais passer. Je serais venue te chercher à la gare.

— Je voulais te faire une surprise, répond-elle en éclatant en sanglots.

— Viviane, mon Dieu, qu'est-ce qu'il y a ? Il est arrivé quelque chose à Nicolas ? Viens t'asseoir.

Je l'entraîne vers le canapé où se trouve Nadège, assez mal à l'aise. Il faut dire que les livres que nous étions en train de lire sont bien en vue sur la table basse…

— Viviane, je te présente Nadège, ma patronne et amie. Nous étions en train de… Enfin, peu importe, je te raconterai plus tard. Dis-moi ce qui cloche. Il est arrivé un truc grave ? C'est Nicolas ?

— C'est affreux ! répond Viviane. Non, Nicolas va bien. Très bien, même.

Je me détends un peu. La mort de Marie est encore omniprésente, je ne crois pas que j'aurais été capable d'encaisser un nouveau deuil.

— Mais alors, que t'arrive-t-il ? Je crois bien que c'est la première fois que je te vois dans un état pareil.

— Et comment ! Tu me connais, j'aime maîtriser les choses. Et puis là, tout m'échappe. Je ne sais pas si je serai capable, ni même si j'en ai envie, bégaie-t-elle en pleurant de plus belle.

— Attends, je ne comprends rien à ce que tu me racontes. Qu'est-ce que tu ne maîtrises pas ? Il y a un problème avec le cabinet ? Je suis sûre qu'il y a des solutions.

— Des problèmes avec le cabinet ? J'aurais préféré. Non, tout va bien aussi de ce côté-là. C'est ma vie tout entière qui est partie subitement à la dérive. Depuis que j'ai découvert...

— Nicolas te trompe ? C'est ça ? Oh, Viviane, je suis tellement désolée...

— Non, rien à voir. Même ça, j'aurais préféré. Je... Je suis enceinte, Molly. J'attends un bébé ! Un putain de bébé !

Les pleurs et maintenant la vulgarité. En effet, elle est à la dérive.

— Mais c'est une super nouvelle !

Je la serre dans mes bras, complètement rassurée.

— Pas du tout ! C'est beaucoup trop tôt ! Il y a le cabinet et ma carrière. Je commence seulement à me faire une petite place, à être un peu moins méprisée par mes confrères masculins, alors tout foutre en l'air maintenant... Et puis, je... Enfin, je ne sais pas si j'ai envie d'avoir un enfant. Je ne me suis jamais imaginée avec un enfant. Déjà que je ne veux pas qu'on ait de chat parce que entre nos deux boulots il finirait par manger un jour sur trois, alors un bébé, tu imagines...

— Et Nicolas, il en pense quoi, lui ?

— Il n'en sait rien encore. Je n'ai pas eu le courage de le lui annoncer. Promets-moi que tu ne lui diras rien.

— Ne t'inquiète pas, jamais je ne me permettrai de lui en parler avant toi. Mais peut-être qu'il pourrait t'aider à y voir plus clair ?

— Imagine qu'il soit heureux ? Imagine qu'il veuille de cet enfant et moi pas ? Non, je ne peux pas lui en parler avant de savoir ce que moi, je veux. C'est mon corps, après tout.

— Viviane... Oui, c'est ton corps, mais Nicolas a le droit de savoir, non ? Tu l'as appris quand ?

— Il y a trois jours.

— Et Nicolas, il est au courant que tu es là, au moins ?

— Oui, c'était prévu depuis un moment que je vienne te voir. Je voulais te faire la surprise.

Je connais bien l'esprit extrêmement organisé de Viviane. Chaque chose dans une case, chaque case à sa place. Je comprends combien une grossesse non pensée ni planifiée doit la perturber.

— Je vous ai préparé un thé au lait bien chaud. Tenez, propose Nadège. Vous voulez un cookie ? Comme je le dis toujours, rien de tel qu'une petite douceur pour se sentir mieux.

— Merci, renifle Viviane, en prenant la tasse fumante dans ses mains. Je ne voulais pas perturber votre soirée. Je ne pensais pas que Molly aurait de la visite.

— Ne t'inquiète pas, Viv, tu ne nous déranges pas du tout. Nadège et moi, on était en train de... lire des romans. Rien de bien intéressant, tu vois.

Je ramasse les livres qui sont sur la table et les range prestement sur le plateau en dessous. Il en manque un.

Mon pouls accélère lorsque je vois Viviane lever une fesse et attraper le roman sur lequel elle s'est assise sans s'en apercevoir. Instantanément, son regard jusqu'alors larmoyant s'irise d'une lueur amusée.

— Vous lisiez des livres… Et pas n'importe lesquels, à ce que je vois. *Prise contre un mur* ? Eh bien, Molly, je ne t'imaginais pas friande de ce genre d'histoire, poursuit-elle en riant.

Comment les gens font-ils pour changer d'humeur en quelques secondes ? Viviane et ma mère font la paire de ce point de vue-là. J'hésite à lui rappeler sa grossesse pour qu'elle oublie *Prise contre un mur*, mais je préfère tellement la voir comme ça que je capitule.

— C'est une des tâches que m'a demandées Marie. Elle voulait que je lise des livres érotiques à sa place. Alors voilà.

Je sors de dessous la table les trois autres ouvrages.

À l'évocation de Marie et de mes défis mensuels, son regard se rembrunit mais je la vois faire un effort pour cacher sa contrariété. Elle feuillette les pages du roman qu'elle tient dans les mains et se met à déclamer genre Comédie-Française :

— « Il est là, il s'approche. Souriant. Fier. Mon Dieu qu'il est beau ! Sait-il l'effet qu'il a sur moi ? Se rend-il compte que mes jambes ne me portent plus ? Que ma respiration devient plus profonde ? Qu'une boule chaude s'installe au creux de mon ventre, et qu'un crépitement commence à se déployer entre mes cuisses ?

« Et que ferait-il s'il savait que je rêve qu'il se jette sur moi pour m'offrir le plus torride des baisers ? Est-ce qu'il aimerait passer sa main sur ma nuque pendant que ses lèvres se poseraient sur mes lèvres, sur mon cou, puis la naissance de mes seins ? Sentirait-il à quel point je suis au supplice d'attendre de sentir ses mains sur mon corps tremblant ? De sentir ses coups de reins ? »

Nadège pouffe et, devant la conviction que met Viviane dans sa lecture à voix haute, je ne peux m'empêcher de sourire à mon tour, avant d'éclater franchement de rire.

— J'ai bien fait d'arriver ce soir, ça m'aurait embêtée de passer à côté de ça. Oh mais j'y pense, s'exclame-t-elle, je t'ai amené un cadeau ! Mince, j'espère qu'il est encore vivant.

Encore vivant ? J'ai un moment d'angoisse à l'idée que Viviane ait choisi de m'offrir un chaton et qu'on retrouve la petite bête étouffée et pliée en quatre sous ses tailleurs dans le fond de sa valise.

Avec une pointe d'appréhension, je la regarde se diriger vers sa valise, la poser à plat et l'ouvrir.

— Non, ça a l'air d'aller, me dit-elle en brandissant un sachet en plastique rempli d'eau dans lequel nage un poisson rouge.

Elle revient vers moi et me le tend avec un grand sourire.

— Dis bonjour à Raymond !

28

5 mars

Les amies, ça offre des fleurs, des macarons, du vin, du parfum. Moi, la mienne, elle m'offre un poisson rouge. Un poisson rouge qui s'appelle Raymond.

Viviane avait l'air tellement contente de son cadeau qu'une fois la surprise passée je l'ai chaudement remerciée avant de chercher une place pour Raymond.

Faute de fleurs, un vase était disponible pour l'accueillir.

Toutes les trois, Viviane, Nadège et moi, nous l'avons regardé une minute tourner en rond, avant de revenir à nos paragraphes chauds bouillants. Oui, au bout de trois tours, ça devient lassant, il faut dire ce qui est.

La soirée s'est achevée tard dans la nuit. Nadège est partie vers 2 heures du matin. Viviane et moi avons continué à papoter un peu une fois couchées. De tout sauf de sa grossesse. De tout sauf de Marie.

Je lui ai parlé de mes élèves. D'Alice la parfaite. Et de sa mère. De Lou, la petite fille si triste.

Et bien sûr de John. Ce passage l'a nettement plus intéressée que les précédents, je dois dire.

Je n'ai pas osé demander des nouvelles de Germain. Viviane m'en a donné spontanément. Il semble aller bien. Il m'en veut à mort, ce qui est déjà mieux que de m'aimer comme un fou.

C'est une belle journée qui s'annonce, pensé-je en admirant la vue de ma fenêtre. Il fait beau et Nadège a tenu à fermer le salon ce matin pour nous apprendre, à Viviane et moi, à faire du pain. J'ai essayé de la convaincre de ne pas fermer, Viviane pouvait bien rester toute seule pendant que nous travaillerions, mais elle a insisté.

Les amies, c'est sacré, m'a-t-elle répondu. Je pense que l'image d'une Viviane tout en larmes et au mascara dégoulinant [1] n'est pas étrangère à sa détermination. Je retrouve en elle toute cette gaieté que j'aimais tant chez Marie, associée à une philosophie de vie qui me plaît beaucoup.

Je me suis levée sans faire de bruit pour que Viviane puisse continuer à dormir et récupérer de ses émotions. Confortablement installée sur le canapé, sous un plaid, un chocolat chaud entre les mains, je laisse mon esprit divaguer. Je repense à la nouvelle que Viviane m'a annoncée, à cette grossesse qui la rend si vulnérable. Il va bien falloir que je réussisse à la convaincre de l'annoncer à Nicolas. Quelle que soit la décision qu'elle va prendre, je suis convaincue qu'un jour elle regrettera de ne pas lui en avoir parlé. Je la pensais forte et sûre d'elle,

1. Et morve au nez. Ah si, on ne le dit jamais mais c'est la combinaison obligée.

je découvre une part de fragilité et de peur qui me touche.

Mon regard se pose sur les romans qu'on a laissés hier soir en vrac sur le sol. Je ne peux m'empêcher de pouffer en repensant à notre façon grotesque de déclamer des scènes érotiques avec des accents shakespeariens.

Marie aurait adoré cette soirée...

— Tu me manques, Marie, tu me manques tant... Pourquoi est-ce qu'il a fallu que cette stupide maladie t'enlève...

— Tu parles toute seule ?

Viviane se tient devant la porte de la chambre, démaquillée, les cheveux décoiffés, on dirait un oiseau tombé de son nid.

— Je t'ai réveillée ? Pardon.

— Non, ne t'inquiète pas. Je suis réveillée depuis quelque temps déjà. Je réfléchissais, dit-elle en me rejoignant sur le canapé. Je n'arrête pas de penser à ce bébé, mais j'aimerais bien parler d'autre chose, histoire de me changer les idées. Tu ne m'en veux pas ?

— Absolument pas ! Et puis ça nous laissera plus de temps pour parler de mon rendez-vous de ce soir, m'empressé-je d'ajouter.

— Il a l'air de te plaire ce, comment il s'appelle déjà ?

— John.

— Ah oui, John, c'est ça. C'est drôle qu'il te fasse cet effet-là. Tu le connais à peine, si j'en crois ce que tu m'as raconté hier.

Une Molly, ça mérite un John...

— Il est plutôt mignon. Je suis célibataire. Alors pourquoi pas ?

— Alors avec Germain, c'est définitivement terminé, hein ?

— Oui. J'aurais voulu qu'il en soit autrement, crois-moi. Je sais que tu l'apprécies beaucoup et je t'assure que ça me fait de la peine que ça n'ait pas marché.

— C'est juste que je pensais que tu recherchais la sécurité. Germain était parfait pour ça.

— Moi aussi, je le croyais. Mais on ne peut pas accepter d'épouser quelqu'un juste parce qu'on a peur d'être seul. Ça n'aurait pas été juste pour lui. Et ça n'était pas juste pour moi. Je ne veux pas construire ma vie en fonction de cette peur et au final risquer de passer à côté du bonheur.

Viviane se tait quelques instants puis se lève.

— Bon, et si on allait se préparer ? Ta patronne nous attend. Quelle idée farfelue de nous faire cuisiner du pain ! J'ai horreur de me salir les mains !

Affublées d'un tablier et d'une charlotte sur la tête, nous sommes de nouveau réunies, cette fois dans la cuisine d'*Aux Délices de Nadège*, et parfaitement ridicules, cela va de soi.

Nadège nous a accueillies avec un grand sourire, pleine d'énergie. Impossible de croire qu'elle n'a dormi que quelques heures.

— Euh, Nadège, c'est obligé, ces trucs sur la tête ? me risqué-je à demander.

— C'est pour se mettre dans l'ambiance, les filles. Faire du pain implique tout un cérémonial.

La moue boudeuse, je jette un œil à Viviane. En tailleur pantalon prune, tablier et charlotte sur la tête, elle a un look d'enfer. Je ne peux m'empêcher de rire.

— Tu es magnifique, Viviane ! Tu devrais tenter d'aller plaider avec cette charlotte. Elle te va divinement bien.

— Moque-toi ! J'ai l'impression qu'à tout moment Charles Ingalls va surgir dans la cuisine et nous demander si le repas est prêt.

Nous pouffons.

— Très bien, les filles, nous interrompt Nadège, c'est le moment de s'y mettre. Si on veut pouvoir manger du pain chaud ce midi, il n'y a pas de temps à perdre.

— Oui chef ! répondons-nous en chœur.

Nadège étale sur le plan de travail les différents ingrédients nécessaires à la préparation du pain. Puis nous nous y collons. Jamais mot n'a été mieux choisi. En quelques minutes, nos mains sont pleines de pâte gluante.

— Ah, c'est dégoûtant ! peste Viviane. J'en ai partout.

Ses mains aux ongles parfaitement manucurés n'ont sans doute jamais été en contact avec un tel magma pseudo-comestible.

— Allez, il faut malaxer et pétrir, malaxer et pétrir, nous encourage Nadège. Plus on incorpore d'air dans la pâte et plus la miche sera légère.

J'éclate de rire.

— C'est le pétrissage qui te fait rire ? me demande Nadège.

— Non, c'est le mot « miche ». C'est nul, hein, mais hier quand on parlait de miches ce n'était pas du tout à celles-ci qu'on faisait référence.

Nadège sourit à son tour.

— À ce propos, reprend-elle, on a dû un peu trop forcer la dose hier, parce que cette nuit, disons que je n'avais pas vraiment quitté l'ambiance...

— Ah oui ? Vas-y, raconte-nous !

— Oh, ce n'était pas non plus un truc de fou, mais je recevais une visite amicale qui finalement se finissait de manière bien plus amicale que prévu, quoi...

— Et avec qui ? Non, parce que c'est ça qui nous intéresse. Quelqu'un que je connais ? demandé-je.

Je la vois rougir.

— Ah, j'ai visé juste !

— C'était Antoine.

— Antoine... M. Louvier ?! Mais il n'est pas marié ? Il te plaît ?

— On dirait qu'il a quatre-vingts ans quand tu l'appelles par son nom de famille. Alors qu'il n'en a que cinquante. Il est veuf. Sa femme est décédée d'un cancer il y a trois ans. Et moi... Enfin, tu sais ce qu'il en est pour moi. Je ne sais pas s'il me plaît. Mais je l'aime bien.

— Ton inconscient l'aime plus que bien, manifestement. Et cette visite amicale, elle ressemblait à quel roman ? *Inassouvie* ou *Prise contre un mur* ?

Ma question me vaut de recevoir une poignée de farine. Surprise, je pousse un cri.

— Hé, mon beau tablier ! Tu vas voir ce que je vais faire du tien !

J'attrape à mon tour une pleine poignée de farine que je lance sur Nadège. Mais celle-ci, ayant vu le coup arriver, se baisse pour éviter la projection. Lorsqu'elle se relève, elle ne peut cependant éviter celle que lui balance Viviane.

— Ouais ! Touchée ! Tope là, Viv !

Dans les minutes qui suivent, la cuisine disparaît derrière un nuage de farine. La bataille est acharnée. Je ris tellement que je suis contrainte de rendre les armes, trahie par un point de côté.

Il n'est plus question de pétrissage et nous pouvons faire une croix sur nos miches. Heureusement Nadège a prévu le coup, plusieurs pains sont en cours de pousse dans l'arrière-cuisine. À quelle heure s'est-elle levée pour les travailler ? Mystère. Le bel Antoine a dû la tirer de son lit. De très bonne heure.

Deux heures plus tard, nous dégustons des tranches de pain épaisses, chaudes et croustillantes sur lesquelles Nadège a étalé une fine couche de beurre et des tranches de jambon de pays. Un pur délice.

Nous bavardons gaiement. Viviane raconte à Nadège ses histoires d'avocate. Des anecdotes sur les clients, comme ce couple en instance de divorce avec deux enfants qui s'est étripé pendant des mois pour la garde... du chien. Ou encore cette femme venue la consulter pour savoir si les mauvaises odeurs corporelles pouvaient être un motif de divorce.

— « Je vous assure qu'il sent des pieds. Vous ne pouvez pas imaginer à quel point ! J'en suis à espérer qu'il garde ses chaussures pour dormir, c'est invivable, maître ! » raconte Viviane.

Ça fait plaisir de la voir détendue. En tailleur pantalon certes, mais détendue.

— Bon, les filles, c'est pas que je m'ennuie mais il va être bientôt 15 heures et Nadège, tu ouvres le salon dans deux heures. On ferait peut-être mieux d'y aller. Que tu puisses faire une sieste. Ou autre chose, selon tes rêves du moment, lui dis-je avec un clin d'œil.

Viviane est visiblement sous le charme de cette femme à l'énergie et à la gentillesse débordantes. Leur entente me remplit de joie.

Une fois que nous sommes sorties, bras dessus, bras dessous, j'entraîne Viviane pour une petite balade dans Grenoble avec en point d'orgue le téléphérique Bastille et sa vue époustouflante.

— C'est beau, n'est-ce pas ?

Comme moi il y a quelques semaines, Viviane est saisie par l'émotion. Nous nous asseyons et je lui prends la main.

— J'ai réfléchi à ce que tu as dit hier, me dit Viviane, rompant le silence qui s'est installé depuis quelques minutes. Sur cette histoire de peur qui ne doit pas gouverner nos vies.

— J'ai dit ça, moi ?

— Oui. Et tu as raison. Moi aussi au fond, j'ai peur. Et c'est pour ça que j'organise tout, que je planifie. Par peur de ne pas être capable de gérer l'imprévu, de perdre le contrôle. À la maison, tout est noté sur un planning mural, nos menus pour les deux semaines à venir, les rendez-vous, les sorties, les échéances des factures à payer. D'ici à ce que je planifie notre vie sexuelle, il n'y a pas des kilomètres.

— Oh, Viviane…

— C'est pathétique, hein ?

— Je ne trouve pas. Beaucoup de gens ont peur de perdre le contrôle. C'est… humain.

— Je t'admire, tu sais. D'avoir tout quitté comme ça, quasiment sur un coup de tête.

— Il ne faut pas. La plupart du temps je suis terrorisée par cette décision.

— Mais tu l'as prise quand même.

— …

— Alors que moi, je suis comme tétanisée. Incapable de décider quoi que ce soit.

— Le bébé ?

Elle hoche la tête.

— Écoute, Viv, je n'ai aucune idée de ce que tu vas décider, mais ce que je sais, c'est que tu regretteras un jour de ne pas en avoir parlé à Nico. Enfin si jamais…

— Je ne le gardais pas ?

— Oui.

— Et s'il veut le garder et pas moi ?

— Tu n'en es pas là. Et puis, je t'ai suffisamment entendue répéter tes plaidoiries pour savoir qu'il lui faudra de solides arguments pour ne pas se rallier à ta cause.

— C'est vrai, je suis plutôt douée.

— Tu es brillante, tu veux dire ! Et crois-moi, je me sens en sécurité d'avoir une avocate comme toi dans ma valise.

— Si jamais un jour tu veux divorcer, compte sur moi pour faire mordre la poussière à ton futur ex-cher-et-tendre.

— Avant qu'il y ait un futur ex, il faudrait déjà qu'il y ait un futur, ou plutôt un présent. Ce qui me fait penser que ce soir j'ai un rendez-vous et qu'il faut qu'on rentre. Après la soirée érotico-shakespearienne, la courte nuit et la matinée farineuse, je dois avoir une tête à faire peur.

— Oui, tu as raison. Allons-y. Et, Molly… merci d'être là. Je sais que je n'ai pas toujours été tendre et compréhensive avec l'histoire de Marie et de ses lettres. Je voulais te dire que j'étais désolée. J'étais jalouse. C'était stupide.

Je la prends dans mes bras.

— Arrête, tu vas me faire pleurer, poursuit-elle en me repoussant doucement. Ce n'est pas bon pour mon image de tueuse du barreau.

tin pas que ce soir, et nous rendez-vous et qu'il faut
qu'on rentre. Après la soirée érotico-shakes aérienne,
la pauvre nuit et la mémble farineuse, je dois avoir
une tête à faire peur.

— Oui, tu as raison. Allons-y. Et, Moll... merci
d'être là si longtemps...

29

Je ne voulais pas en faire trop côté look. Comme
je ne ressemble hélas pas à Cameron Diaz, qui est
jolie même avec un bas de jogging informe, mon
choix s'est porté sur une robe noire qui m'arrive aux
genoux avec manches trois quarts. Une grosse cein-
ture blanche et une paire de ballerines noires vernies
complètent ma tenue. Mes cheveux sont détachés et
les boucles tombent en cascade dans mon dos. Je me
plains continuellement de cette chevelure si difficile à
maîtriser mais je dois avouer que, lorsque j'y parviens,
l'effet est assez réussi.

Fidèle à moi-même, j'ai un quart d'heure d'avance.
Devant la salle de danse, je tente de calmer mon
appréhension en réfléchissant à mon prochain cours,
à cette idée de spectacle qui m'est venue. Je pourrais
m'inspirer d'un ballet célèbre et l'adapter pour enfants.
Pourquoi pas *Casse-Noisette*...

— Vous ne rougissez pas cette fois-ci ?

La question de John me tire de ma réflexion.
Et... je rougis.

— Ah ! Je vous retrouve ! J'ai eu peur que mon
charme ne fasse plus effet.

— Votre charme ? Je vous trouve plutôt banal comme type.

Jouer l'indifférente, voilà une bonne tactique, face à son assurance.

Bien entendu c'est tout le contraire. Il porte un jean sombre bien coupé et un pull fin col V de couleur grise qui met en valeur sa silhouette sportive. Des baskets blanches donnent à l'ensemble une touche décontractée qui me plaît beaucoup. Il est rasé de près, ses cheveux sont légèrement gominés et ses yeux… toujours aussi verts.

— Quand je pense que j'allais vous dire que je vous trouvais très séduisante dans cette robe. Heureusement que je n'en ai rien fait alors ! On y va ? Le bar se trouve plus loin.

Nous marchons quelques minutes. Je peine à briser le silence. Comme je ne le connais pas, je lui sors la première chose qui me vient à l'esprit.

— Il a fait beau aujourd'hui.

Mon Dieu, Molly…

— Il paraît que lorsqu'on parle du temps qu'il fait, c'est qu'on est mal à l'aise… Vous n'êtes pas mal à l'aise avec un type banal comme moi, je présume ?

Qu'est-ce qu'il peut être agaçant !

— Ça n'a rien à voir. Je soulignais juste que nous avions eu une belle journée. Mais si vous n'êtes pas homme à apprécier les choses simples de la vie, ce n'est pas ma faute.

Il éclate de rire.

— Vous avez toujours réponse à tout, à ce que je vois.

— Non, ça, c'est mon amie Viviane. Elle est avocate. Elle, elle vous clouerait le bec en un rien de temps !

— Vous êtes trop modeste. C'est comme pour le ski, en somme.

Avant que je trouve une repartie, il s'arrête devant un bar animé du centre-ville. Il pousse la porte et me laisse passer devant lui. Le bar est bondé et le bruit des rires et discussions est assourdissant. Pour l'intimité, on repassera.

Je m'imagine tout à fait la scène : nous allons commander des chopes de bière, manger des nachos dégoulinant de fromage et il me tapera dans le dos en me racontant des blagues. Je m'en réjouis à l'avance.

Il se dirige vers le fond du bar et repère une table inoccupée. Alors que je m'apprête à m'asseoir, il s'approche de moi pour m'aider à ôter mon manteau.

— Je suis peut-être banal, mais j'ai tout de même le sens de la galanterie, me souffle-t-il à l'oreille, d'une voix plutôt feutrée qui déclenche une chaleur inattendue au creux de mes reins.

Foutus livres érotiques !

Nous prenons place sur les banquettes en velours vert. La table en acajou est, je dois l'admettre, de belle qualité. L'éclairage est également flatteur.

Un serveur s'approche de nous et John commande deux verres de vin rouge.

— Vous commandez pour moi ? m'offusqué-je.

— Je vous fais profiter de mes connaissances en œnologie, c'est tout à fait différent.

— Et si je n'aimais pas le vin rouge ?

— C'est le cas ?

— Non, mais…

— Alors, inutile de prendre cet air renfrogné.

— Vous êtes toujours comme ça ?

— C'est-à-dire ?

— Agaçant !

Son visage s'éclaire d'un grand sourire.

— C'est toujours mieux que banal. Si je vous agace, c'est que je ne vous suis pas indifférent. C'est un beau progrès en quelques minutes.

— Je…

— Allez, je vous taquine. Le vin que j'ai commandé est issu de la production d'un ami et je voulais juste vous le faire découvrir.

Le serveur apporte justement les deux verres. Je prends le mien et en bois une petite gorgée. Délicieux.

— Pas mal, mais j'en ai bu de meilleurs, dis-je d'un air un peu blasé pour le taquiner à mon tour.

Devant sa mine sincèrement déçue, je souris.

— Vous voyez comme c'est agaçant ! Ce vin est délicieux, vous aviez raison.

Je commence à me détendre. Les minutes qui suivent sont plutôt agréables. John me demande ce qui m'a conduite à Grenoble. Je raconte le week-end passé avec Sacha – un ami, je prends soin de préciser –, le passage devant l'annonce, l'envie de faire enfin quelque chose qui me plaise. Je ne parle pas de Germain ni de sa demande en mariage. Et, chose curieuse, je n'évoque pas non plus Marie. Sans que je puisse me l'expliquer, pour la première fois, je n'ai pas envie de faire se rencontrer ces deux pans de ma vie.

Me sentant en confiance, l'effet de l'alcool aidant, je lui demande tout à trac :

— Et vous ? Vous êtes veuf depuis longtemps ?

Ouh la boulette… Mille excuses, Nadine de Rothschild.

— Pardon, je… Je suis désolée, je ne voulais pas vous mettre mal à l'aise.

— Il n'y a pas à vous excuser. Je ne suis pas veuf. Qu'est-ce qui vous fait dire ça ?

— C'est… Heu… Votre petite fille l'autre jour. Elle m'a dit qu'elle n'avait pas de maman. Alors j'ai cru que…

Je vois son visage se fermer l'espace de quelques secondes.

— Elle vous a dit ça ? Non, la mère de Lou n'est pas morte. Aux dernières nouvelles, elle est bien vivante, même si je ne sais pas vraiment où elle se trouve.

— Vous n'êtes pas obligé de me raconter, cela ne me regarde pas.

— Dans la mesure où je compte bien que ce rendez-vous ne soit pas le dernier, il est normal que vous sachiez de quoi il retourne.

Ne pas relever, ne pas rougir. Il a bien dit ce qu'il a dit ?

— La mère de Lou n'était pas… Disons qu'elle était fragile et qu'être mère était au-dessus de ses forces. Je le savais mais, tout à ma joie de cette grossesse, j'ai choisi de l'ignorer. Lorsque Lou est née, très vite j'ai su que cela n'irait pas. Sandrine refusait de la prendre dans ses bras. Parfois, elle semblait même ne pas voir qu'elle était là. Elle ne l'entendait jamais pleurer. Et puis un jour, elle est partie. Elle m'a laissé un mot me demandant simplement de ne pas lui en vouloir. Lou avait tout juste deux ans. Je fais tout ce que je peux pour compenser, lui apporter l'amour de deux parents, mais ce n'est pas toujours facile.

L'image de cette petite fille au visage si triste me serre le cœur.

— Je suis vraiment désolée. Ça n'a pas dû être évident pour vous.

— Je ne me suis pas vraiment posé de questions. Lou est la plus belle chose qui me soit arrivée. Je ne regrette rien. Mais j'ai peur de ne pas lui suffire. Je vois bien qu'elle est parfois malheureuse, même si elle essaie de ne pas me le montrer. C'est une petite fille si sensible.

— Je ne la trouve pas malheureuse.

J'avale une gorgée de vin et pioche dans les cacahuètes, le tout en posant mes yeux partout sauf sur les siens.

— Vous mentez très mal, on vous l'a déjà dit ?

Il me prend la main pendant quelques secondes et c'est comme une décharge électrique.

— Vous mentez mal, mais c'est très gentil à vous, merci. Maintenant que vous savez tout de mes déboires conjugaux, qu'il est à peine 20 heures et que nos verres sont encore à moitié pleins, et si nous changions de sujet ?

Changer de sujet. Un sujet plus léger. Détendre l'atmosphère.

— Hier, Viviane, l'amie avocate dont je vous parlais tout à l'heure, m'a offert un poisson rouge qui s'appelle Raymond.

John me regarde d'un air surpris puis il éclate de rire.

— Raymond ?

— Il n'y a que cela qui vous choque ? Le nom du poisson rouge ? Mon amie qui est venue me rendre visite pour la première fois hier n'a rien trouvé de mieux à m'offrir qu'un poisson rouge et il n'y a que le prénom qui vous intéresse ?

— Mon ancienne belle-mère nous avait ramené un kilo de poireaux la première fois qu'elle est venue nous voir, Sandrine et moi, alors... Après ça, plus rien ne peut me choquer, me dit-il avec un sourire nostalgique.

— Des poireaux ?!

— Oui. J'ai bien tenté de les mettre dans un vase mais le résultat n'était pas vraiment harmonieux.

Je ris.

— Finalement, je n'ai pas à me plaindre avec mon poisson rouge. Au moins, il me tiendra compagnie. En parlant de prénom, John, ce n'est pas très courant. Vos parents ont des origines américaines ?

— Non, absolument pas. Mes parents étaient tout simplement fans de John Wayne, ils ne sont donc pas allés chercher bien loin.

Je ne peux réprimer un éclat de rire.

— Vous trouvez ça drôle ? Je ne vois pas ce qu'il y a d'hilarant.

— C'est juste que je me dis que vous avez eu de la chance que vos parents n'aient pas été fans des films de Terence Hill et Bud Spencer...

C'est vrai, quoi : *Une Molly, ça mérite un Bud,* ça aurait sonné beaucoup moins bien...

— Alors ? Alors ?

J'avais espéré, oh ! juste l'espace de quelques instants, que Viviane soit endormie à mon retour. Il n'en est rien. Elle est tout à fait réveillée. Et au vu du livre qu'elle tient dans les mains, elle n'est manifestement pas près de s'endormir.

— Je vois que tu as trouvé de quoi passer le temps. C'était agréable ? lui demandé-je avec un clin d'œil tout en m'installant à côté d'elle.

— Instructif, je dirais, me répond-elle en feuilletant le livre avant de le refermer. C'est fou la souplesse de cette fille ! Sans parler de l'endurance du gars. Peut-être que je vais tester deux ou trois trucs. Enfin, juste comme ça, histoire de ne pas mourir idiote.

— Ça va de soi.

— Et donc, ta soirée ? C'était comment ?

— Instructif, également.

Elle rit.

— Et c'est tout ? Instructif comme une émission de « C'est pas sorcier » ? Tu parles d'un rendez-vous galant !

— Instructif… et très agréable, si tu veux tout savoir. Enfin, si on met de côté son cynisme parfois insupportable, bien entendu.

Viviane me regarde soudain très attentivement.

— Quoi ? J'ai quelque chose entre les dents ?

— Il te plaît, avoue. Tu as cette petite lueur dans les yeux. Comme la fille du bouquin.

— Oui, je crois, oui. Il est si différent de…

— De Germain ?

— Il me bouscule. Quand je le trouve touchant, il me provoque. Quand il m'agace, il me dit quelque chose qui me fait rougir. Je crois que je n'ai jamais connu ça avec quelqu'un.

— Je suis contente pour toi. Vraiment.

— Merci, Viv. Même s'il ne s'est pas passé grand-chose, cela dit. On s'est un peu raconté nos vies et puis il m'a raccompagnée.

— Il t'a raccompagnée, et ?

— Et... rien du tout. Une bise sur la joue, une main dans mon dos et c'est tout.

Je m'affaisse sur le dossier du canapé et attrape l'un des romans à côté de moi.

— C'est n'importe quoi, ces romans, si tu veux mon avis !

30

6 mars

C'était vraiment sympa, ce petit week-end avec Viviane. Nous n'avions jamais pris la peine de passer du temps rien que nous deux.

Lorsque nous étions ensemble avec Marie, Viviane n'était pas elle-même. Sa personnalité s'accordant mal avec celle de Marie, elle restait en retrait. Elles étaient trop différentes toutes les deux pour être amies. Je regrette de ne pas en avoir pris conscience plus tôt.

— Tu reviendras bientôt me voir ?

Nous sommes sur le quai, le train de Viviane ne devrait pas tarder à entrer en gare.

— Compte sur moi ! Ne serait-ce que pour vérifier que tu t'occupes bien de Raymond !

— Je m'en voudrais s'il arrivait quelque chose à Raymond le poisson rouge.

Je la prends dans mes bras.

— Viv, prends soin de toi et…

— Promis, tu sauras en priorité ce que je vais décider. J'ai réfléchi et je vais en parler à Nico. Tu as raison, je m'en voudrais de ne pas lui dire.

— Je crois que c'est bien la première fois que je réussis à te convaincre de quelque chose. J'en suis toute retournée.

— Quant à toi, tu as intérêt à me tenir au courant des derniers développements du côté de John-l'agaçant. Et tâche de m'envoyer une photo, j'aimerais bien voir à quoi ressemble celui qui te fait rougir. Fais aussi une bise à Nadège pour moi. Dis-lui que je la trouve formidable. Et qu'elle ne devrait pas hésiter à aller vers ce M. Bouvier.

Je glousse.

— C'est Louvier. Bouvier, c'est une race de chiens.

De retour dans mon appartement, le silence m'apparaît soudain comme insupportable. Après tous ces rires et cette amitié qui a rempli l'espace, je me sens seule.

Je me dirige vers la table basse et attrape le petit carnet M&M.

Marie,
Je ne sais pas si les livres érotiques sont une aide ou une plaie. Mais ce qui est sûr, c'est qu'ils nous auront bien fait rire. J'ai passé une soirée géniale avec Viv et Nadège. Pendant un instant, j'ai oublié que j'avais perdu celle avec qui j'aurais adoré partager ce moment.
Merci à toi pour ce cadeau.
P.-S. : Et sinon, j'ai rencontré un John. Je me suis dit que tu serais contente de l'apprendre. Il s'en est fallu de peu pour que ce soit un Bud, mais c'est un John, un vrai. Il te plairait beaucoup.
Une-Molly-Ça-Mérite-Un-John

31

8 mars

— Jambe tendue, jambe pliée. Jambe tendue, jambe pliée. Allez, les filles, on ne faiblit pas. On tend, on plie. On tend, on plie !

Toutes mes petites élèves sont concentrées. Une main sur la barre, un bras en arabesque au-dessus de leur tête, elles font des exercices d'assouplissement depuis une dizaine de minutes.

— C'est très bien. Et maintenant, les deux pieds en position de départ, on fléchit et on revient. On fléchit et on revient.

— Est-ce qu'on va devoir faire ça longtemps ? me demande Alice. Parce que je ferais mieux de travailler plutôt un solo si je veux un jour devenir danseuse étoile.

— Pour devenir danseuse étoile, la route sera avant tout pavée de pliés et de tendus, ma petite Alice, crois-moi.

Les autres filles pouffent. Je reprends ma litanie et m'aperçois en regardant le miroir que derrière moi Gabriel, le frère de Maddie, fait lui aussi les exercices.

Il a pris appui sur le mur et il effectue les mouvements comme les autres.

— Et maintenant le dos bien droit, on descend le buste en avant et on tend le bras droit. On remonte et on redescend. Avec grâce, les filles, avec grâce.

Je ne perds pas des yeux le petit Gabriel, il semble avoir fait ça toute sa vie. J'aimerais bien le voir en mouvement. Je tape dans mes mains.

— On en a terminé avec la barre, les filles. Et si on faisait des pirouettes ? Ça vous dit ?

Je récolte des oui enthousiastes.

— Alors, vous vous mettez l'une derrière l'autre dans le coin de la salle et vous me rejoignez de l'autre côté. Vous ouvrez votre bras droit et vous tendez votre jambe, la pliez et vous me faites une belle pirouette. Et ça jusqu'au bout de la salle. Qui commence ?

Cette question parfaitement inutile trouve sa réponse dans la bouche d'Alice.

— Moi ! Il faut bien que les autres aient un modèle.

— Éblouis-nous, Alice, éblouis-nous !

Je m'éloigne des filles et m'approche de Gabriel qui se trouve justement au bout de la ligne où s'effectuent les pirouettes.

— Tu ne t'ennuies pas trop ?

— Oh non, ça va. Je regarde.

— Et… tu voudrais essayer ? Le temps te paraîtrait moins long comme ça.

Il me regarde, surpris.

— Mais, je suis un garçon !

— Oui, et alors ? Tu crois qu'il n'y a pas de garçons parmi les danseurs ? Tu sais, en danse classique, il faut toujours un garçon pour porter la danseuse. C'est essentiel.

— Je ne sais pas... Tu crois que je peux ?

— Tu devrais essayer. Tu ne risques rien.

Il ne lui en faut pas plus pour se précipiter, traverser la salle et se mettre au bout de la ligne, derrière Lou.

Alice en est tellement surprise qu'elle en perd l'équilibre et se retrouve sur les fesses.

— Eh bien, ma petite Alice, ça ne va pas ?

Vexée, celle-ci se remet rapidement sur ses jambes et poursuit l'exercice. Un instant, je crois apercevoir quelques larmes dans son regard mais elle se reprend bien vite pour m'adresser un sourire victorieux.

— Tu as vu, Molly, elles sont belles, mes pirouettes !

— Très belles, Alice, très belles.

Les filles passent une à une, je leur donne des petits conseils, leur montre les bonnes positions. Lou s'élance, gracieuse et légère. Pendant qu'elle pirouette, j'observe son visage se détendre et son regard s'illuminer. Un petit sourire se dessine sur son visage.

— Oui, c'est ça, Lou, c'est très bien !

Elle m'adresse un regard plein de fierté et d'un coup tout son masque de tristesse tombe.

J'attends avec impatience que Gabriel s'élance. Comme je le présageais, il est doué. Très doué, même. Ses gestes sont à la fois sûrs et souples. Il fait preuve d'un équilibre rare pour quelqu'un qui n'a jamais dansé.

Une fois tous les élèves rassemblés de l'autre côté de la salle, je les applaudis.

— Vous êtes magnifiques ! Vous avez tous beaucoup de talent. Allez, venez me rejoindre, j'ai quelque chose à vous proposer.

Les filles se précipitent et s'assoient en tailleur autour de moi. Gabriel hésite, finit par rester là où il se trouve, au fond de la salle.

— Non, non, toi aussi, Gabriel. Ça te concerne également.

L'invitant d'un grand sourire, j'attends que le petit garçon nous rejoigne.

— J'ai bien réfléchi, je vous ai bien regardés et je crois que nous pouvons envisager d'organiser un petit spectacle. Ça vous dirait ?

En entendant leur brouhaha instantané, je peux dire sans hésitation que mes petites élèves sont enthousiastes. Toutes parlent en même temps.

— Ça te dirait, Gabriel ? De faire partie du spectacle ? Je t'ai observé et je pense que tu es fait pour danser.

La fierté que je vois dans ses yeux fait aussitôt place à de la déception puis de la résignation.

— Mon papa ne voudra jamais me laisser…

Je m'agenouille à côté de lui.

— Qu'est-ce qui te fait dire ça, mon bonhomme ?

— Parce que la danse, c'est pour les filles. Papa dit que, les garçons, ça doit faire du sport de garçon. Du foot ou de la boxe.

— C'est vrai ! précise Maddie qui n'a pas perdu une miette de la conversation. Quand maman regarde « Danse avec les stars », papa, il arrête pas de dire que les messieurs qui dansent ne sont pas très *birils*.

Je pouffe.

— Eh bien, je crois que ton papa a tort sur ce point, Maddie. Quant à toi, Gabriel, est-ce que tu as envie de participer au spectacle ? Je veux dire, vraiment envie ?

— J'aimerais bien mais…

— Il n'y a pas de mais. Tu dois rester là avec ta sœur pendant que ta maman est à son cours de sport, n'est-ce pas ?

— Oui. Mais…

— Alors c'est réglé. Tu peux danser avec nous. On ne dit rien à personne. Et le jour du spectacle, je suis certaine que lorsque ton papa te verra danser, il changera d'avis. Fais-moi confiance. Ce sera notre petit secret.

Je le vois qui réfléchit, puis un grand sourire illumine son visage.

— D'accord ! Mais toi, Maddie, tu dois jurer cracher de ne rien dire à papa et à maman.

— Je sais garder les secrets, hein. Je suis grande maintenant.

— On compte sur toi, Maddie, alors ?

Toute fière d'être dans la confidence, la petite fille acquiesce.

Il ne me reste plus qu'à réfléchir au ballet. Une histoire qui puisse tous les mettre en valeur.

— Je crois qu'il est l'heure. Vous pouvez aller vous rhabiller, vos parents ne devraient pas tarder à arriver.

Les petites filles se lèvent et se ruent vers les vestiaires. Est-ce qu'il arrive aux enfants de faire quelque chose sans se précipiter ?

— Molly ?

— Oui, Alice ?

— Je vais avoir le rôle principal, dis ?

— Le plus important, c'est de s'amuser, tu ne crois pas ?

— Ma maman ne va pas être contente si je n'ai pas le rôle principal. Je dois être la meilleure, poursuit-elle, la meilleure.

À son tour, elle file vers les vestiaires. Autant de pression sur les épaules d'une si petite fille, c'est tellement triste.

32

9 mars

Je marche d'un pas rapide vers le salon de thé, avide de raconter à Nadège mon cours de la veille, ma découverte des talents du petit Gabriel, la décision de faire un spectacle.

J'y ai pensé toute la soirée. J'ai visionné plusieurs vidéos de ballets et c'est bien *Casse-Noisette* qui s'impose.

Lorsque je ferme les yeux, je peux les voir évoluer sur une scène, Gabriel en prince charmant.

Pour le rôle principal, j'hésite encore. Lou est très douée et elle serait sans doute parfaite. Mais Alice...

Son assurance n'est qu'une façade derrière laquelle se dissimule une trouille bleue de ne pas être à la hauteur, j'en mettrais ma main à couper. Peut-être que si elle voyait les yeux de sa mère briller de fierté...

Surexcitée par ce projet, je vois déjà les choses en grand pour les costumes, les décors. Il faut absolument que je me calme et garde les pieds sur terre.

En poussant la porte d'*Aux Délices de Nadège,* je suis surprise de trouver les lumières éteintes.

Je regarde ma montre : 9 h 30. Or, je sais que Nadège a l'habitude d'arriver vers 8 h 30 pour commencer la cuisson des pains.

— Nadège ? Tu es là ?

Pour toute réponse je n'obtiens qu'un sanglot étouffé en provenance de la cuisine. Paniquée, je laisse tomber mon sac sur le sol et je me précipite. J'imagine déjà le pire, Nadège a été agressée et gît sur le sol dans une mare de sang.

Je pousse les portes saloon. Nadège est bien là, saine et sauve heureusement, bien qu'elle ne semble pas au mieux de sa forme.

Elle est assise par terre, le dos contre le mur, les joues baignées de larmes, une lettre à la main. Elle lance vers moi un regard malheureux qui me déchire le cœur.

Je m'approche et m'assois à côté d'elle. Je sais par expérience qu'il est inutile de poser des questions. Si Nadège a envie de parler, elle le fera d'elle-même, lorsqu'elle le choisira. Je lui prends la main et nous restons silencieuses jusqu'à ce que les sanglots se tarissent.

— Il va se remarier. Avec cette Américaine. Tu te rends compte, lui et moi, on est à peine divorcés et il m'écrit pour me dire qu'il va se remarier.

Quel salaud, je pense.

Mais là aussi, je sais que lui faire part de mon ressenti ne servirait à rien. Pas pour le moment en tout cas. On se sent encore plus nul de s'entendre dire que l'on pleure pour un salaud. Salaud que l'on aime encore, qui plus est. Alors, là encore je me tais.

Au bout de deux minutes, je tente une diversion pour détendre l'atmosphère.

— Raymond a essayé de se suicider hier soir. Je passais devant son bocal et hop ! il a sauté. J'ai cru qu'il ne l'avait pas fait exprès, alors j'ai couru le remettre dans son vase. Une heure après, il a récidivé. En à peine quelques jours j'ai rendu mon poisson rouge suicidaire, tu te rends compte ?

À nouveau Nadège se met à sangloter. Quelle gaffeuse je fais ! À tous les coups son mari et elle avaient également un poisson rouge.

Je me tourne vers elle pour lui dire que je suis désolée d'être aussi nulle de n'avoir rien trouvé de mieux à dire pour lui remonter le moral, quand je comprends qu'elle est en train de rire.

Une de ces crises incontrôlables qui se déclenchent souvent pour des bêtises et que l'on ne parvient pas à arrêter. Un fou rire, quoi !

Son hilarité est telle qu'elle a pour effet de me faire exploser à mon tour. Pendant plusieurs minutes, nous hoquetons toutes les deux à en avoir mal aux côtes.

— Arrête de rire, Nadège, je vais faire pipi dans ma culotte si ça continue !

Peine perdue, je me résigne déjà à inonder mon pantalon et le sol de la cuisine par la même occasion lorsque Nadège reprend ses esprits et me lance :

— Si tu veux, je connais un très bon piscychiatre.

Ce n'est que bien plus tard dans la journée, alors que nous sommes en train de débarrasser les tables et que l'on s'apprête à fermer, que je l'entends demander derrière moi :

— C'est un salaud, n'est-ce pas, de m'envoyer cette lettre ?

— Honnêtement ? C'est la première chose que j'ai pensée ce matin.

— Merci de l'avoir gardé pour toi. Ce matin encore, j'aurais été capable de lui trouver des excuses, de le défendre. Et je me serais sentie encore plus nulle de pleurer.

— Qu'est-ce qui a changé ?

— Je ne sais pas trop. J'y ai réfléchi toute la journée. Je mérite mieux que de pleurer pour ce type, non ? Qui peut penser que sa toute récente ex-femme sera ravie d'apprendre que sa tout aussi récente remplaçante va désormais porter une alliance ? Qui, à part un salaud ?

— Un sans-cœur et un pisse-froid.

— J'espère que vous ne parlez pas de moi. J'avoue que si c'est le cas je préfère encore que vous me trouviez banal.

Je me retourne tellement vite que je manque de perdre l'équilibre. John se tient devant nous avec dans le regard cette lueur qui m'horripile autant qu'elle me charme.

— On ne t'a jamais dit qu'il était impoli d'interrompre une conversation ?

— Toutes mes excuses, mesdames. Je peux repartir, si vous le souhaitez.

— Non. Enfin, je veux dire que si tu souhaites commander quelque chose ou boire un thé, nous serons ravies de te servir.

— Je n'en doute pas ! Mais il se trouve que je passais par là justement pour t'inviter à dîner demain. Mais puisque ça ne semble pas t'intéresser…

Alors là, s'il pense que je vais lui faire le plaisir de succomber à son charme…

— Avec grand plaisir !

Il a raison.

En fait.

33

10 mars

On croit toujours que, le pire, c'est le premier rendez-vous. On a bien tort. Le pire, c'est le deuxième !

S'il y en a un deuxième, c'est qu'a priori chacun plaît à l'autre. Et ce qui devrait calmer le jeu et détendre l'atmosphère fait en réalité monter l'anxiété d'un cran. L'anxiété et le désir, cela va de soi.

C'est donc dans un état de stress maximal que je rejoins John devant le restaurant qu'il m'a indiqué hier.

— Dis-moi, lorsque tu invites une femme à dîner, tu ne fais pas semblant !

Je lui souris. Un sourire aux joues chaudes et rouge pomme-Blanche-Neige.

Il me précède pour me tenir la porte, et je suis immédiatement saisie par la beauté du lieu, chic et extrêmement chaleureux. Un maître d'hôtel s'approche pour prendre nos manteaux et nous conduire à notre table.

— Attends un peu. Tu m'as invitée hier, si je ne m'abuse. Comment est-il possible que tu aies pu avoir une table dans un endroit pareil aussi vite ?

— Pour tout te dire, j'avais au départ rendez-vous avec quelqu'un d'autre mais elle s'est décommandée alors…

Je dois passer du rouge pomme-Blanche-Neige au vert grisâtre-Voldemort, ce qui le fait éclater de rire.

— Tu devrais voir ta tête ! Le directeur de ce restaurant est un ami.

— Tu es…

— Banal ? Agaçant ? Sans cœur ? Pisse-froid ?

— Insupportable !

— C'est tout ? Je suis déçu, tu m'as habitué à mieux, me rétorque-t-il, aux anges.

— Insupportable et doté d'un sacré carnet d'adresses.

— C'est préférable pour quelqu'un qui travaille dans les relations publiques et l'événementiel…

C'est surprenant, mais je me rends compte que lors de notre premier rendez-vous nous n'avons même pas parlé de son métier.

— En effet. Donc tu es une sorte de Gentil Organisateur, alors ?

— Oui, enfin j'espère en un peu plus distingué. D'ailleurs, en parlant d'événements, Lou m'a raconté lundi soir que vous alliez monter un ballet ? Elle était surexcitée, ça m'a fait plaisir de la voir comme ça. Elle s'enthousiasme si rarement.

— Un ballet, c'est beaucoup dire. Un petit spectacle tout au plus.

— Après chaque cours, je n'entends que des Molly par-ci et des Molly par-là. À croire qu'elle veut que je m'intéresse à toi. Ce qui risquerait de te déplaire.

— Absolument. Brrrr, quelle horreur.

J'accompagne cette réplique d'un grand sourire, au cas où il la prendrait au premier degré.

Nous sommes interrompus par le maître d'hôtel qui place devant nous deux assiettes fumantes de ce qui semble être un velouté parsemé de copeaux de truffe.

— Mais nous n'avons rien commandé ! m'étonné-je.

— J'ai donné carte blanche au chef, m'informe John. Ce soir, ce sera menu dégustation surprise.

— Je n'ai jamais le droit de choisir avec toi, alors ?

— Il faut croire que non, me glisse-t-il avec un clin d'œil.

Oui, on croit toujours que, le plus difficile, c'est le premier rendez-vous. Et on a tort. Complètement, absolument tort.

Si à la fin de la première sortie il n'y a pas de premier baiser, on se dit que ce n'est pas grave, que c'est sans doute un peu tôt.

Mais à la fin de la deuxième, on commence à s'inquiéter. J'en suis là de mes réflexions lorsque nous arrivons en bas de mon immeuble.

— Bon, eh bien, John, merci pour cette soirée. Et ce délicieux repas. Tu pourras féliciter le chef de ma part. Les macarons au foie gras étaient fabuleux.

— Avoue, Molly, que tu as envie de m'embrasser ? me demande-t-il sans détour.

C'est ce qui s'appelle ne pas s'embarrasser du superflu. Tentative d'approche plutôt risquée, pourcentage de gifle plutôt élevé, et pourtant la douce chaleur qui se répand en moi ne trompe pas...

— Quoi ?! Mais n'importe quoi. Je te trouve sympathique mais rien de plus.

— Tant pis. Parce que en ce qui me concerne j'ai très envie de t'embrasser.

Il ne me laisse pas le temps de répliquer, s'approche de moi, place sa main dans le creux de mes reins et d'un geste ferme me serre contre lui. Puis il pose ses lèvres sur les miennes. Longuement. Un baiser qui me coupe le souffle. Lorsqu'il entrouvre légèrement les lèvres pour venir chercher ma langue, je manque vaciller.

— Je le savais, me dit-il en arrachant ses lèvres des miennes.

— Tu savais quoi ?

— Que tu mourais d'envie de m'embrasser.

34

13 mars

— Allez, Molly, tu viens ?

Je peux le faire, je peux le faire. Si je me répète cette phrase sans cesse, je suis sûre que le dieu de la Glisse viendra à mon secours. En attendant cette divine assistance, je suis tétanisée en haut de la piste.

Lou et son père se sont arrêtés quelques mètres plus bas et m'attendent. La petite fille me fait des signes d'encouragement.

Lorsque John m'a invitée pour un après-midi de ski, je n'ai trouvé aucune excuse valable pour me défiler. Je suis censée être une très bonne skieuse, je vous rappelle. Et puis, j'avais envie de passer du temps avec lui. Même si pour cela je devais m'élancer sur une pente vertigineuse au risque de me briser une jambe.

— J'arrive, j'arrive.

Pour tromper le monde et diminuer mon stress, je fais semblant de m'échauffer. J'enchaîne les flexions de genou, tourne mon buste de droite à gauche. Je tape mes skis sur la neige, je finis par me prendre au jeu et me représente les skieurs que l'on voit au départ d'une course des jeux Olympiques, derrière leur petite barrière, les bras tendus vers l'avant, claquant leurs skis sur la neige, prêts à en découdre avec le chrono.

Je dois finir par me prendre un peu trop pour Carole Montillet parce que je me retrouve emportée par un claquement de spatule un peu trop prononcé. Le corps en avant, je me mets à descendre, ou plutôt à dévaler la piste.

Surtout ne pas montrer que je ne contrôle rien. Comment font-ils, déjà, les skieurs pros ? Ah oui, ils plient les genoux et mettent leurs bras le long du corps.

En quelques secondes je dépasse John et Lou. J'ai juste le temps d'entendre la petite fille dire à son père :

— Elle va pas un peu trop vite, papa ?

Je sens le vent me fouetter les oreilles ; ralentir serait peut-être une option à envisager. Sauf que je ne sais pas comment faire.

J'hésite entre m'asseoir lamentablement sur mes skis et m'effondrer sur la piste, ou planter mes bâtons fermement dans la neige lorsque, à quelques mètres devant moi, j'aperçois une bosse. Mais que fait ce monticule de neige en plein milieu du chemin ? Est-ce qu'on peut imaginer une telle imperfection sur un parcours olympique ? Assurément non. Je pense déjà à m'insurger auprès du propriétaire de la station pour ce manque de respect vis-à-vis des skieurs chevronnés. Mais la bosse se rapproche et je ne sais pas du tout comment la contourner.

Avant même que j'aie le temps de faire quoi que ce soit, mes skis s'enfoncent dans la neige, stoppant net mon élan, ou du moins celui des skis. Mon corps, lui, ne semble pas décidé à s'arrêter et je pars dans un vol plané pour atterrir tête la première dans la poudreuse. Lorsque je me redresse, j'ai de la neige partout dans le cou, derrière les lunettes, dans la bouche, dans le nez.

— Ça va, Molly ? Tu ne t'es pas fait mal ?

John m'a rejointe et au ton de sa voix je devine qu'il est inquiet. J'enlève mes lunettes pour pouvoir m'essuyer les yeux, ce qui n'est pas évident lorsqu'au bout des mains on a une paire de gants eux-mêmes recouverts de neige. Puis j'éclate de rire.

— Tu lances un nouveau style de glisse ? poursuit-il. C'est original, je dois dire, assez peu académique et plutôt dangereux, mais inédit.

Il déchausse à son tour ses skis et s'approche de moi pour m'aider à me relever. Alors qu'il me tend la main, je le tire d'un mouvement brusque qui le déséquilibre et le fait basculer à son tour. Nous nous retrouvons allongés sur la neige l'un sur l'autre, et l'espace d'une seconde je sens son souffle dans mon cou.

— Il suffisait de demander, tu sais, me murmure-t-il à l'oreille.

Le reste de l'après-midi est moins violent. Maintenant qu'il est désormais acquis pour tous que je ne sais pas skier, nous nous sommes rabattus sur des pistes vertes et c'est en chasse-neige, une position beaucoup moins glamour, que je skie. Enfin, que « je skie », que je fais des mouvements désordonnés du haut de la piste vers le bas.

Je ne suis pas peu fière de moi lorsque je finis par enchaîner deux virages. Fierté quelque peu entamée par ces petits gamins hauts comme trois pommes qui me doublent à toute vitesse en soulevant une gerbe de neige. En même temps, comme ils tombent de moins haut, ils n'ont aucun mérite à prendre autant de risques. Et puis, ils feraient moins les malins avec des chaussons de danse !

— On est quand même mieux ici, non ? Avec une bonne gaufre et un chocolat chaud. C'est incroyable ce que skier peut ouvrir l'appétit !

— Je trouve que tu as fait des progrès incroyables en deux heures, me dit John. Je ne pense pas trop m'avancer en disant que tu peux envisager de passer ton ourson.

Lou éclate de rire. Pendant quelques secondes elle irradie, mais cela ne dure pas. Soudain, semblant prendre conscience de son rire, elle s'arrête net et son regard s'assombrit de nouveau. Comme si elle voulait fuir quelque chose, elle se lève.

— Papa, je peux aller là-bas regarder les dessins animés ? demande-t-elle brusquement à son père en désignant du doigt un espace du restaurant aménagé pour les enfants.

— Mais oui, ma princesse, vas-y.

John regarde sa fille s'éloigner et, lorsqu'il se retourne vers moi, dans ses yeux je devine son désarroi.

— J'ai l'impression de ne pas être à la hauteur, de ne pas savoir rendre ma propre fille heureuse.

Émue, je lui prends la main.

— Mais non, je suis certaine que tu es un papa formidable.

— Mais tu étais là, tu as vu ce qu'il vient de se passer ? Elle semble heureuse, elle rit et puis tout à coup elle se renferme et je ne sais pas pourquoi. Je ne comprends pas.

— Tu as essayé de lui demander ?

— J'essaie mais elle change de sujet. Je n'ose pas insister, j'ai peur de la bloquer encore plus.

Je me décale légèrement pour observer la petite fille. Elle est assise sur le bord du canapé, le dos bien droit, le visage fermé. Que peut-il bien y avoir dans sa tête ? Je ne connais pas grand-chose aux enfants, en revanche je connais le pouvoir de la danse, ce qu'elle permet d'extérioriser.

Je sais ce qu'il me reste à faire.

– 35 –

18 mars

— Alors, ça vous plaît ?

Devant leur silence, je regarde mes petites élèves une à une avant de comprendre qu'elles sont complètement subjuguées par la vidéo que je viens de leur montrer.

— Bon, si vous n'avez pas envie de danser *Casse-Noisette*, ce n'est pas grave, hein, je trouverai bien autre chose.

Cette phrase les fait d'un coup sortir de leur état de sidération. Des cris fusent en tous sens.

— C'était trop beau !

— Oh si, Molly, moi, je veux danser les noisettes !

— Ce serait trop super génial de danser comme les filles de la vidéo !

— Il va falloir que tu choisisses la danseuse principale, m'interpelle Alice. J'espère que ce sera moi.

— Allons, allons, pas toutes en même temps. Je suis contente de voir que le ballet vous plaît. Bien sûr, on va faire quelques petites adaptations pour que cela dure moins longtemps. Et Alice, pour ce qui concerne la danseuse principale, j'ai décidé qu'il y en aurait deux. Nous allons faire deux scènes différentes, et dans chacune d'elles il y aura un solo pour deux d'entre vous.

Je vois tous les regards se remplir d'attente et d'excitation.

— Pour les deux solos, en principe, il faudrait que je vous fasse passer des auditions, mais nous sommes déjà mi-mars, alors, exceptionnellement, j'ai déjà choisi. Je vous ai toutes bien regardées et je pense ne pas me tromper. Alors voilà, le solo du premier tableau sera confié à Lou. Et le second solo, à Alice.

J'observe Lou à la dérobée. Son visage est radieux. Elle peine à reprendre son masque habituel de tristesse et de résignation. Un jour, je finirai bien par trouver le moyen de le faire voler définitivement en éclats.

— Et pour toutes les autres, ne soyez pas déçues. Vous serez sur les deux tableaux et, vous savez, la danseuse solo est encore meilleure si le corps de ballet derrière elle est sublime.

Je me tourne alors vers Gabriel, que je n'ai pas encore entendu.

— Et toi, Gabriel ? Qu'en penses-tu ? Tu aimes ce ballet ?

Je sens le petit garçon un peu perdu. Il réfléchit quelques instants avant de me répondre.

— Tu veux que je fasse comme le danseur de la vidéo ?

— Eh bien, dans l'idée, oui, c'est à peu près ça.

— Je n'y arriverai jamais ! Tu as vu comment il saute haut ?! Et comment il porte la danseuse ?! Jamais je ne pourrai faire ça.

Je m'approche et prends place à côté de lui.

— Et moi, je dis que tu ne te rends pas compte de ton talent. Tu sais, si je te propose ce rôle, c'est que tu en es capable. Je t'ai observé lors des derniers cours et je peux t'affirmer que tu es très doué. Tu es d'accord pour me faire confiance ?

Gabriel lève ses grands yeux sombres vers moi et me scrute comme s'il essayait de détecter une blague ou un coup monté. Puis d'un sourire timide il acquiesce.

— D'accord. Je veux bien te faire confiance. Tu vas m'aider ? Tu vas me montrer, hein ?

Tout heureuse, je le prends dans mes bras.

— Je vais t'aider et, tu verras, les gens seront éblouis.

Plus tard, seule dans mon appartement, je peine à laisser retomber mon excitation. J'ai fait la liste de tout ce qu'il y avait à prévoir. J'ai réfléchi aux costumes, j'ai même fait quelques croquis. En dessin, je suis niveau bonhomme bâton mais je suis plutôt fière du résultat. Je vais acheter les tissus et c'est Nadège qui s'occupera de la confection. Quand je lui ai parlé de ce projet de spectacle, elle s'est en effet aussitôt proposée de coudre les costumes.

Comme il n'est pas encore trop tard, je compose le numéro de Viviane pour partager ma joie avec elle. Elle décroche dès la première sonnerie.

— Viv ? C'est Molly ! Il faut absolument que je te raconte mon projet de *Casse-Noisette*. J'en ai montré un extrait vidéo aux élèves et elles étaient enchantées. Et Gabriel va être fabuleux. Il y a tellement de choses à mettre en place !

— Eh bien, tu as l'air surexcitée. Je suis heureuse pour toi, Molly. Je suis certaine que ce spectacle sera une réussite, me répond-elle sur un ton qu'elle peine à rendre enjoué.

— Ça ne va pas, Viv ? Un souci ?

— Non, non, juste une journée difficile au tribunal. J'ai perdu une affaire sur laquelle j'avais beaucoup travaillé. Alors, je suis un peu déçue.

— Oh…

— Ne t'inquiète pas. C'est le contrecoup. Je déteste perdre, tu me connais. Demain, ça ira mieux.

Je sais que je devrais en profiter pour lui poser des questions, lui demander si elle a évoqué le bébé avec Nicolas. Mais je connais Viv, si elle n'aborde pas le sujet, c'est qu'elle n'a pas envie d'en parler.

— Oui, je te connais, demain tu vas écrabouiller l'un de tes confrères. Tu es la guerrière du barreau. Allez, je te laisse, Viv, passe une bonne nuit.

L'excitation est finalement retombée. Je me sens seule tout à coup dans cet appartement. Et loin de tout. Malgré moi, j'en veux un peu à Viviane de ne pas avoir partagé ma joie.

Juste avant d'aller me coucher, j'écris quelques mots dans mon carnet pour Marie.

Marie,
Tu me manques tellement.
Si tu étais encore là, tu aurais poussé des cris de joie avec moi, tu m'aurais donné mille idées irréalisables pour le spectacle, tu aurais voulu tout prendre

en main, tout gérer, tout organiser. Bien sûr, ça aurait fini par m'agacer. Et je me serais maudite de t'en avoir parlé.

Mais ce soir, je donnerais n'importe quoi pour m'agacer à nouveau de ta propension à tout mener là où tu le veux.

– 36 –

1er avril

Ce n'est pas la douce sonnerie – par « douce sonnerie », je veux dire « stridente », bien entendu, personne
n'est dupe – de mon réveil qui me tire du sommeil,
mais celle de mon téléphone qui m'annonce que je
viens de recevoir un message.

Je tâtonne pour attraper l'objet du mal et lire d'un
œil à moitié entrouvert et l'autre toujours en sommeil
le message qui s'avère être de Viviane.

« On est le 1er avril. Même si je n'ai pas toujours adhéré
à cette histoire de lettres entre Marie et toi, j'ai compris
que cela comptait pour toi. Alors je suis avec toi pour
ouvrir celle d'aujourd'hui.

Ceci n'est pas un poisson d'avril. Tu me connais, je n'ai
aucun humour.

Bises bella »

Je relis plusieurs fois les mots et culpabilise un peu plus d'avoir été agacée par son manque d'enthousiasme au sujet de *Casse-Noisette*.

C'est vrai qu'aujourd'hui c'est jour de courrier. Je mentirais si je disais que j'avais complètement sorti cette histoire de lettres de ma tête. Il y a plusieurs jours que je me demande ce que m'a réservé Marie.

Complètement réveillée, je me lève d'un bond et file vers le salon où sont empilées les lettres, toujours au même endroit, sous le plateau de la table basse.

Celle d'avril se trouve sur le dessus. Du bout des doigts, je caresse l'endroit où est écrit le nom du mois.

Nadège voulait que je l'ouvre avec elle, mais c'est un moment pour lequel je préfère être seule. Seule avec le souvenir de Marie. Lui dire ce que la lettre contient, pas de souci, l'ouvrir devant elle, non.

Je décachète l'enveloppe qui libère quelques rares billets. Une tâche qui ne m'éloignera pas trop de mes pénates, donc.

Molly,

Quand je pense que nous sommes déjà en avril. Le temps file à une vitesse !

J'espère que tu as eu de bonnes lecture le mois dernier ! Je caresse aussi l'espoir que tu aies eu le temps de passer à la pratique. Mais je te connais et je sens bien que ces lectures se sont terminées en parties de rigolade.

Cette fois-ci, tu ne pourras pas te dérober. Tu te souviens qu'on s'était promis de s'inscrire à des cours de tango ? Pourquoi est-ce qu'on n'a jamais sauté le pas ? Là où je suis, il n'y a pas de cours de tango.

Que des vieux qui jouent au bridge. Je désespère. Mais peut-être que si je me concentre très fort et que toi, tu danses, l'énergie et la sensualité viendront jusqu'à moi... On peut rêver.

Apprends le tango pour moi, Molly. Mets-y toute ton énergie. Je suis certaine que tu seras sublime. »

Je soupire de soulagement. La danse, c'est mon domaine. Et c'est vrai qu'avec Marie on avait toujours dit que l'on apprendrait un jour à danser le tango toutes les deux. Je ne compte plus les vidéos que j'ai pu regarder sur le sujet. Le tango me fascine. À la fois sensuel et intense, c'est une danse de la séduction.

Cette fois-ci, pas question de partager ça avec Nadège. Je ne vois qu'une personne susceptible de m'accompagner...

« John, tu m'as montré combien tu étais doué en ski, en choix de restaurants, à mon tour de te faire partager quelque chose. Un cours de tango, ça te dirait ? »

J'envoie mon message et file sous la douche pour ne pas être en retard *Aux Délices de Nadège*.

Je n'ai pas fait trois pas qu'un bip me fait rebrousser chemin.

« Ce que tu ignores, c'est que je suis aussi un danseur de tango très doué. Accepte que j'aie tous les talents. »

Aussitôt suivi d'un autre message :

« Ce soir, 19 heures ? Je connais un chouette endroit. Je passe te prendre. »

À 18 h 55, je suis prête et satisfaite du reflet que me renvoie le miroir de l'entrée. Longue robe noire à fines bretelles fendue sur un côté, boléro noir manches trois quarts, chaussures ouvertes à talons aiguilles. Les longues heures que j'ai passées devant des vidéos de tango m'ont appris que ce qui compte par-dessus tout, ce sont les chaussures.

J'ai noué mes cheveux en chignon, ce qui n'est pas un mince exploit, et me suis maquillée pour la circonstance, mascara noir, bouche rouge.

La sonnerie de la porte me tire de ma contemplation. J'ouvre et John se tient devant moi, lui aussi habillé comme il se doit. Smoking noir, chemise blanche, chaussures noires vernies.

— Tu es absolument... affreuse, lance-t-il avec un grand sourire. À en couper le souffle.

— Pareil pour toi. Jamais je n'ai vu quelqu'un porter le smoking aussi mal.

Il s'approche de moi pour m'embrasser sur la joue et me souffle :

— Tu es affolante dans cette tenue.

Instantanément le rouge me monte aux joues. Alors qu'il s'écarte de moi, j'en profite pour effleurer ses lèvres d'un léger baiser, sans le quitter du regard.

— On y va ? Le tango n'attend pas !

L'endroit où m'emmène John est plutôt sombre, lumières tamisées favorables à l'intimité. Plusieurs couples sont déjà là, en tenue, longues robes, talons aiguilles, chemises foncées. De la musique latine résonne dans la salle.

Alors que nous entrons, un couple est déjà sur la piste. Je suis subjuguée par leur élégance. Nous les regardons évoluer et je n'ai qu'une envie, savoir danser comme eux.

Lorsque la musique se termine et qu'ils se tournent vers nous, des applaudissements nourris éclatent.

— Merci à vous. Quand on goûte au tango, on n'a plus envie de s'en passer. Le tango, c'est la danse de la séduction. Le tango, c'est la danse de la vie. Je crois que pour certains d'entre vous il s'agit d'une première fois. Nous allons vous montrer les pas de base et ensuite ce sera à vous de vous laisser envahir par la musique et de laisser parler vos corps.

Voilà une approche qui me plaît.

Pendant l'heure qui suit, Pablo et Anna nous montrent les enchaînements des pas de base. Je ne peux détacher mon regard des jambes d'Anna, subjuguée par la fluidité avec laquelle elle déplace ses pieds. J'emmagasine un maximum d'informations et tente de reproduire ce qu'ils nous enseignent avec John, qui ne m'a pas menti : il sait déjà danser le tango. Il est même très à l'aise.

— Maintenant que vous avez compris les pas de base, je vais lancer la musique. Vous, mesdames, laissez-vous guider par votre partenaire, ne vous quittez pas des yeux. *Its's time for tango!*

Les lumières qui s'étaient allumées pour le cours s'éteignent de nouveau et la musique envahit tout l'espace.

Je m'approche de John et fixe mon regard dans le sien. Lui non plus ne cille pas. Il attrape ma main droite et pose sa main gauche dans le bas de mon dos. D'un geste ferme il me colle à lui. Je peux sentir son souffle dans mon cou.

Au rythme de la musique, nous évoluons sur la piste et je me laisse complètement emporter.

Alors que la musique s'accélère, sa main gauche quitte le creux de mes reins pour venir saisir ma jambe qu'il remonte le long de son corps. La chaleur de sa main sur ma peau est telle qu'elle m'en coupe le souffle. D'un geste sûr, il me bascule en arrière, je me cambre dans un mouvement souple et reviens à son niveau, sentant s'échapper plusieurs mèches de cheveux de mon chignon. Il replace sa main dans mon dos et nous reprenons la posture.

Pendant combien de temps dansons-nous ainsi ? Je n'en ai aucune idée. Mais je suis essoufflée lorsque les lumières finissent par se rallumer et que la musique s'arrête. Je peine à revenir à la réalité et apparemment je ne suis pas la seule. John ne m'a pas lâchée et ses yeux sont toujours plantés dans les miens. Le désir que j'y lis est plus puissant que jamais.

— Et si on continuait ça chez toi ?

Le trajet retour vers mon appartement se fait en silence, comme si les mots pouvaient briser l'intensité de ce que nous venons de partager. Seule sa main chaude tenant la mienne est là pour me rappeler que John marche à côté de moi.

Nous entrons chez moi, ni l'un ni l'autre n'osant rompre le silence. Je pose mon sac à main dans lequel je prends mon téléphone. Je fais défiler les musiques jusqu'à trouver celle que je cherche : *Cry to Me*, la musique de ma scène préférée du film *Dirty Dancing*. J'ai toujours rêvé d'avoir l'occasion de danser langoureusement avec un homme sur cette chanson.

Je laisse les premières notes emplir l'espace et me retourne vers John.

Il est déjà tout près de moi. Nos regards se trouvent à nouveau. Je me colle à lui, mes jambes de part et d'autre des siennes. Sa main se positionne au bas de mon dos et nous nous balançons au rythme de la musique. Lentement.

Il attrape l'une de mes jambes qu'il fait remonter jusqu'à son bassin, il effleure la peau de ma cuisse, déclenchant un frisson.

Je me cambre. Il positionne sa main libre à la base de mon cou, puis la fait descendre le long de mon buste, entre mes deux seins pour finalement me remonter jusqu'à lui.

Ses lèvres se posent sur les miennes. Un baiser intense qui trahit son excitation.

Je m'arrache à sa bouche et pose mes mains sur son torse ; je sens son cœur palpiter à travers l'étoffe.

Tout en continuant à danser, j'ouvre les boutons de sa chemise un à un pour découvrir un torse musclé sur lequel je dépose un baiser.

À nouveau il attrape ma jambe et saisit ma robe. Je lève les bras et il me l'enlève. Il m'embrasse dans le cou puis mordille légèrement le lobe de mon oreille. Jamais je n'ai autant eu envie d'un homme. De sa peau contre ma peau.

Il prend l'un de mes seins dans sa main et en caresse le téton qui durcit instantanément. Je ferme les yeux et me laisse envahir par le désir qu'il fait monter en moi.

Affolée, je colle ma bouche sur la sienne, cherchant sa langue.

Alors, il me soulève pour m'emmener sur le canapé. J'enroule mes jambes autour de ses hanches et enfouis ma tête dans son cou, respirant à pleins poumons son odeur masculine.

La puissance de son désir me fait me sentir belle.

Ses caresses se font de plus en plus pressantes. Il n'y a plus rien d'autre que John et moi, plus rien d'autre que ce désir qui nous fait perdre la tête. Mes mains caressent son dos puissant. Le souffle court, je tremble de désir.

D'un geste il se débarrasse du reste de ses vêtements et m'arrache ma culotte plus qu'il ne l'enlève.

Nos corps sont fiévreux, ses mouvements de reins sont profonds, je sens monter le plaisir.

— Tu me rends fou, Molly.

Ces quelques mots achèvent de me faire lâcher prise, incapable de résister à l'orgasme qui me secoue par vagues.

Puis les mouvements de John se font plus lents, son corps devient plus lourd [1].

_____

1. ... comme un cheval mort...

Nous restons allongés là durant de longues minutes, sans rien dire. Je passe ma main dans ses cheveux, il m'embrasse dans le cou.

Il n'y a plus de musique, seulement nos souffles qui se mêlent.

Une Molly, ça mérite un John.
Oh oui, une Molly, ça mérite un John.

2 avril

On ne peut pas dire que c'était une première fois. J'ai eu plusieurs histoires. Certes, pas tant que certaines femmes, mais quelques-unes quand même. Et c'était plutôt chouette sur le plan physique. Enfin, Germain mis à part.

Alors pourquoi est-ce que je n'arrive pas à penser à autre chose qu'à John ?

La nuit que nous avons passée a été l'une des plus intenses et passionnées de ma vie. C'est comme si nos corps étaient taillés pour épouser parfaitement les courbes de celui de l'autre. Comme s'il me connaissait depuis toujours, devinant ce qui allait déclencher en moi un feu inassouvi de plaisir.

Dans le train en direction de Paris, mon esprit est tout entier tourné vers John, vers ce que je ressens pour lui, vers ce qu'il a fait naître en moi.

Est-ce possible de tomber amoureuse de quelqu'un aussi rapidement ? Est-il normal de penser que, nous deux, c'est comme une évidence ? La force de mes sentiments me fait presque peur.

Il y a quelques mois encore, j'en aurais parlé avec Marie. Pendant des heures et des heures, nous aurions échafaudé des tas de plans, des tas d'hypothèses pour la suite des événements. C'est dans ces moments-là que son absence se fait cruellement sentir, encore plus que les autres jours. Perdre celle pour qui je n'avais aucun secret et qui me connaissait comme personne, c'est tellement injuste.

Je sors mon téléphone de mon sac pour envoyer un message à Viv.

« Dis, tu as du temps pour un truc entre filles ce week-end ? Je remonte à Paris pour l'anniversaire de mon père, mais je compte bien passer un peu de temps avec toi ! Il faut quand même que je te dise comment va Raymond. »

Sa réponse ne se fait pas attendre. J'oublie toujours que le téléphone de Viviane est le prolongement de sa main.

« Entre deux divorces, je devrais trouver un créneau. Ça me changera. D'ailleurs, en parlant de divorce, promets-moi de ne jamais au grand jamais te marier ! On devient trop con en cas de séparation. »

« J'y penserai. Bises ! »

Lorsque j'arrive chez mes parents, ma mère m'accueille en mode plus-stressée-tu-meurs.

Il faut dire qu'elle a prévu grand pour l'anniversaire de mon père, la simplicité n'ayant jamais fait partie de son vocabulaire.

Là où d'autres auraient fait appel à un traiteur, elle a décidé de tout préparer elle-même. Du premier petit-four au gâteau d'anniversaire à quatre étages. Une fois encore, je me dis qu'il faut absolument que je lui présente Nadège.

Et bien entendu, comme toutes les personnes débordées mais perfectionnistes, elle refuse que je lui prête main-forte.

Je me garde bien d'insister, trop contente de pouvoir échapper à l'atmosphère survoltée de la cuisine.

Mon père, lui, a bien compris qu'il était préférable de ne pas traîner dans les parages. Je le trouve assis sur le canapé de son bureau, un roman entre les mains, luttant contre l'endormissement.

Il me semble qu'il a vieilli depuis la dernière fois. Il a l'air plus fatigué aussi.

— Pitié, papa, laisse-moi me réfugier ici avant que maman ne me rende folle avec toute son agitation !

Il referme son livre et m'adresse un grand sourire.

— Tu connais ta mère. J'ai eu beau lui dire qu'il n'y avait pas besoin de se mettre en quatre, rien à faire. Quand elle a quelque chose dans le crâne…

— Impossible de lui faire changer d'avis, finis-je en riant. Je me demande comment tu arrives à la supporter.

— J'aurais bien plusieurs réponses à te donner, mais la plus probable doit s'appeler l'amour, me répond-il avec un clin d'œil. Mais dis-moi, et toi, comment ça se passe à Grenoble ? Tu t'y plais ?

— Oui, beaucoup. J'ai une patronne géniale, et mes cours de danse me comblent. Je me demande comment j'ai pu me passer de danser pendant toutes ces années. J'ai prévu de monter un spectacle avec mes élèves. Tu les verrais s'appliquer pour exécuter les pas, c'est adorable !

— Ah oui, ta mère m'en a parlé. D'ailleurs, je ne sais pas si elle te l'a annoncé, et si ce n'est pas le cas je ne t'ai rien dit bien sûr, mais elle compte bien s'occuper des décors. Depuis des semaines, elle est entièrement tournée vers cette fête d'anniversaire, mais ensuite ce sera à ton tour d'être dans l'œil du cyclone. Prépare-toi.

Je soupire.

— Inutile, j'imagine, de lui dire que ce n'est pas nécessaire ?

— Inutile et vain ! Pense que pendant ce temps-là ton pauvre vieux papa aura la paix.

Nous rions. Je réalise combien ça me manque de ne plus passer les voir chaque semaine.

Le soir venu, c'est l'effervescence. La maison est pleine d'invités qui, pour la plupart, me sont inconnus. L'étendue du réseau social de mes parents m'a toujours étonnée.

Je repère Charlotte et Sacha dans un coin et me précipite dans leur direction.

— Des visages familiers !

La vision de Charlotte, plus mince que jamais, la peau presque translucide, me serre le cœur. Elle

236

semble si fragile. Je remarque que Sacha a son bras glissé sous le sien, comme pour l'empêcher de sombrer.

— Je suis contente de te voir, Molly, me dit-elle avec un sourire. Tu as l'air en forme. Alors, comment ça se passe à Grenoble ?

— Très bien. J'ai un appartement avec une vue sur les montagnes. C'est magnifique. J'espère que vous aurez l'occasion de venir me voir.

— Je ne crois pas que je serais de très bonne compagnie, tu sais.

— Mais si, bien sûr que si. Ça me ferait plaisir.

Je réfléchis quelques secondes puis poursuis :

— J'y pense d'un coup, et si tu venais m'aider pour le spectacle ?

— Le spectacle ?

— Avec mes élèves, nous allons donner une représentation de *Casse-Noisette*. Et ma mère s'est mis en tête de fabriquer les décors. Et si tu l'accompagnais quand elle viendra me les apporter ? Tu pourrais assister au spectacle et profiter du bon air. Ça te ferait du bien. Parfois, changer d'horizon…

— Je ne sais pas trop…

— Molly a raison, intervient Sacha, ça te changerait les idées.

— Je suis certaine que maman serait ravie, elle aussi. Et, égoïstement, ça m'arrangerait qu'il y ait quelqu'un pour faire diversion parfois !

Pour étayer mon argument, je les invite à observer les va-et-vient incessants de ma mère, passant les plateaux de petits-fours, remplissant les verres, riant aux blagues des uns, complimentant les autres. Bree Van de Kamp avec des piles Duracell.

Nous éclatons de rire et je sens Charlotte se détendre quelque peu.

— Ta mère est unique, plaisante-t-elle enfin.

— Alors c'est oui ? Je peux compter sur toi ?

— Je te promets que je vais y réfléchir. Peut-être que pour quelques jours...

Alors que la soirée bat son plein, que le volume sonore rivalise avec celui d'un concert des Stones, j'ai trouvé refuge dans la cuisine. Assise sur l'un des tabourets de bar, je sirote un cocktail.

— Merci pour ce que tu as fait.

Sacha se tient derrière moi.

— Merci pour quoi ?

— Pour ma mère. Ta proposition de la faire venir chez toi. C'est une super idée. Il faut qu'elle change d'air.

— Elle ne va pas bien, c'est ça ?

— Non, me répond-il d'un ton sombre. Elle passe son temps à feuilleter les albums photo et refuse de me parler. Je ne sais plus quoi faire.

— Je suis désolée.

— C'est dur de la voir comme ça et de se sentir impuissant. Jamais une mère ne devrait voir mourir son enfant.

Une nouvelle fois, l'injustice de la situation me frappe de plein fouet. Je ne trouve pas les mots, alors je garde le silence. Pendant quelques minutes, nous nous taisons, incapables l'un comme l'autre d'aborder un sujet plus léger.

L'irruption de ma mère dans la cuisine me fait l'effet d'une couche de Biafine sur un coup de soleil.

— Alors les enfants, vous vous amusez bien ? Molly, *sweety*, il faut absolument que je te présente Madeleine et Jean-Jacques. Leur fils travaille pour le cinéma et il vient tout juste de divorcer. Nous l'avons vu une fois avec ton père lors d'un dîner, je suis sûre qu'il te plairait.

Les mères et leurs manies de vouloir vous caser avec tous les fils de leurs amis ! Je lève les yeux au ciel.

— Tu sais, maman, je n'ai pas besoin de toi pour me trouver un homme. Et d'ailleurs, qui te dit que je n'en ai pas déjà trouvé un ?

Je regrette instantanément d'avoir prononcé cette phrase qui, je le sais, me vaudra un interrogatoire en règle lorsque les invités seront partis et que ma mère n'aura plus que moi à se mettre sous la dent.

Là, elle se contente de m'observer avec un sourcil levé, signe qu'elle a très bien entendu mais que pour le moment elle a d'autres chats à fouetter. Puis elle sort de la cuisine emportant un énième plateau de nourriture.

— Molly, Molly, Molly, mais tu ne pouvais pas te taire, me morigéné-je à voix haute. Pourquoi fallait-il que tu lui parles de John ?

— John ? m'interroge Sacha, sans doute soulagé de ce changement de conversation.

— Oui, John. Il se trouve que j'ai effectivement rencontré quelqu'un à Grenoble. Un type formidable dont il se pourrait bien que je sois raide dingue.

Je vois l'expression du visage de Sacha se durcir.

— Si vite ? Un type que tu viens à peine de rencontrer ?

Ah non, hein, il ne va pas me refaire le coup du
« c'est pas un peu rapide » comme avec Germain !
À croire qu'il y a de mauvaises ondes dans cette
cuisine.

Puis l'évidence me frappe de plein fouet. Sacha
n'aimait pas l'idée que je me marie avec Germain
et il semble contrarié aussi pour John. Mais quelle
idiote je fais !

— Sacha… Je viens de comprendre… Je suis désolée, enfin, tu es comme mon petit frère…

Passé un temps qui me semble infiniment long, il
éclate de rire.

— Je ne vois pas ce qu'il y a de drôle, reprends-je,
quelque peu vexée.

— Pourtant, c'est très drôle ! Qu'est-ce qui te fait
penser que je pourrais être amoureux de toi ?

— Il se trouve que tu as une forte tendance à ne
pas aimer les types avec qui je sors, et qu'en général
on appelle ça de la jalousie.

— Jaloux, moi ? Alors là tu n'y es pas du tout.
C'est juste que je ne voudrais pas que tu souffres
avec ce John. Tu sais, nous, les mecs, on n'est pas
comme vous. On s'emballe moins vite.

— Je suis une grande fille ! Je saurai me défendre
en cas de besoin. Et puis, John est différent. C'est
comme si on se connaissait depuis des années.

— Si tu le dis… Ha ha ha, je n'en reviens pas
que tu aies cru que je pouvais avoir des sentiments
pour toi !

— Oui, bon ça va, tout le monde peut se tromper.

3 avril

— Eh bien dis-moi, ce John, ça a l'air d'être quelque chose !

Viviane et moi sommes attablées à une terrasse de café, profitant du soleil et du retour de températures printanières. Incapable de garder plus longtemps pour moi cette histoire naissante, je lui ai raconté ma soirée avec John dès que nous nous sommes assises.

— Tu as l'air folle de lui, on dirait !

— Je ne peux pas expliquer, ça me paraît tellement irrationnel.

— Pourquoi irrationnel ?

— C'est comme si nous nous connaissions depuis toujours. Il est tellement parfait, tout ce que j'attendais d'un homme. Il y a forcément un loup. Un truc que je vais apprendre sur lui, une tare cachée, une histoire glauque. Ce n'est pas possible autrement.

— Ou si ça se trouve, il est ton âme sœur.

— Toi, Viviane, tu crois aux âmes sœurs ?

— Non, mais toi, oui. Je m'adapte !

Elle rit.

— Tu as l'air en forme en tout cas, je poursuis. Bien plus que la dernière fois qu'on s'est vues. Je dois comprendre que tu as parlé à Nicolas du bébé et que tout s'est arrangé ?

— Je ne dirais pas ça comme ça. J'ai fait une fausse couche, Molly, il n'y a plus de bébé.

L'espace d'un instant son regard se pare d'un voile de tristesse, aussitôt dissipé par un sourire éclatant et déstabilisant.

— Tu vas trouver ça bizarre mais, en fait, c'est plutôt une bonne chose, reprend-elle.

— Une bonne chose ?

— Perdre ce bébé a été horriblement dur, j'ai vécu sans doute les pires journées de ma vie, mais paradoxalement cette peine a eu un côté positif. Grâce à cette fausse couche, j'ai compris qu'en fait je voulais cet enfant, Molly. Si je n'avais pas perdu ce bébé, peut-être que je ne l'aurais jamais su. Lorsque je suis venue te voir à Grenoble, j'étais terrorisée, à mille lieues de me dire que j'allais devenir mère. Cette fausse couche m'a ouvert les yeux. J'ai compris que j'avais envie d'avoir des enfants. Elle a en quelque sorte balayé mes doutes et mes peurs.

Malgré cet événement douloureux, Viviane a dans les yeux un éclat que je n'ai jamais vu.

— Et Nico ? Il a pris la nouvelle comment ?

— Je ne lui ai rien dit pour la fausse couche. C'est arrivé avant que j'aie eu le temps de lui parler du bébé, alors à quoi bon ?

— Viv…

— C'est mieux comme ça. Et maintenant que je sais que j'ai envie d'avoir un enfant, toute notre énergie y est consacrée, ajoute-t-elle avec un clin d'œil.

— Parce que du coup vous essayez… ?

— Eh bien oui ! J'ai dit à Nico que je voulais un enfant, et qu'il avait intérêt à être disponible chaque soir !

— Tu es juste incroyable, tu le sais, Viv ?! Incroyable.

— Assez parlé de moi, tu ne m'as pas dit : tu le revois quand, ton John ?

– 39 –

6 avril

— Lou, Alice, allez-y, c'est votre tour. Oui, c'est ça, vous êtes parfaites, les filles. Et maintenant Gabriel, tu te mets derrière Lou et tu lui fais faire une pirouette, oui, voilà, comme ça. Maintenant, avec Alice. Pirouette, cambré, pirouette. Corps de ballet, corps de ballet, à vous ! En ligne, tout le monde bien en même temps, bras au-dessus de la tête, jambe tendue, et on bloque !

Pleine de fierté, je regarde mes élèves évoluer sur le parquet de la salle de danse. Chacun y met toute son énergie. Je ne peux que constater qu'ils ont fait énormément de progrès en quelques semaines à peine.

Alice et Lou sont magnifiques en danseuses solo. Alice est toujours à la recherche de la perfection, de mon approbation. Lou danse avec mélancolie, ce qui fait naître des émotions très fortes lorsqu'on la regarde.

Et Gabriel, que dire de lui ?... Il est doué, c'est certain. Bien qu'il danse depuis moins longtemps que certaines de ses petites camarades, il a déjà un niveau bien supérieur à beaucoup d'entre elles. Chacun de ses mouvements est ample, fluide. Il est capable d'enchaîner plusieurs pirouettes d'affilée sans perdre son équilibre. Le regarder est un vrai bonheur, il semble si heureux. Dès que la musique démarre et qu'il se met en mouvement, son visage s'ouvre, il irradie.

— Ce sera tout pour aujourd'hui. Vous avez été parfaits. Je suis très fière de vous ! dis-je après avoir coupé la musique. Vos parents vont être éblouis.

— Tu crois vraiment, Molly ? me demande Alice. Je n'ai pas très bien réussi mon cambré pourtant.

— Ma petite Alice, ton cambré était très bien, ne t'inquiète pas. Tu danses merveilleusement. Ta maman sera très fière.

À sa moue dubitative, je sais qu'elle est loin d'être convaincue. Depuis que l'on a commencé à répéter le spectacle, elle s'applique comme jamais, se critiquant sans cesse.

Curieusement, j'ai appris à apprécier cette gamine et je perçois de mieux en mieux ses sentiments. Je l'observe aussi chaque fois que sa mère vient la récupérer. Elle lui montre les mouvements qu'elle a appris, en quête d'un mot d'encouragement ou de félicitations. Je vois son petit visage se décomposer l'espace de quelques secondes lorsque sa mère se contente de lui dire que c'est pas mal mais que ça pourrait être encore mieux, qu'elle doit être la meilleure dans ce qu'elle entreprend.

— Tu penses qu'on sera prêts ? me questionne à son tour Gabriel.

— Je vous promets que tout sera prêt pour le spectacle. Il nous reste encore plusieurs semaines avant la représentation et vous y mettez tellement de cœur, tous ! Grâce à vous, je retrouve tout ce qui me plaisait dans la danse autrefois. Allez vous rhabiller, vos parents ne vont plus tarder.

Comme à chaque fin de cours, je les applaudis et à leur tour ils font de même. Une vraie petite troupe est née.

Alors que tous se dirigent joyeusement vers le vestiaire, je jette anxieusement un regard vers l'entrée de la salle. Je n'ai pas revu John depuis cette fameuse nuit, pour cause de déplacement professionnel. Nous avons échangé quelques messages mais je me languis de le retrouver.

Je range fébrilement mes affaires, sans cesser de surveiller la porte. Et puis, enfin, celle-ci s'ouvre, laissant la place à celui qui instantanément déclenche une boule de chaleur dans le creux de mon ventre. John. D'un pas vif, il se dirige droit sur moi. Tétanisée, je suis incapable de faire le moindre mouvement.

Une fois arrivé à ma hauteur, il place une main derrière mon dos, m'attire vers lui et colle sa bouche contre la mienne. Ses lèvres sont chaudes, mes jambes manquent me lâcher.

— Je ne pense qu'à ça depuis ce matin, me dit-il après avoir desserré son étreinte. Comment se fait-il que vous ayez ce pouvoir sur moi, Molly Greene ?

— Je t'ai jeté un sort. Tu ne savais pas que les rousses étaient des sorcières ?

— Tout s'explique ! dit-il en m'embrassant de nouveau.

— Si tu continues à m'embrasser comme ça, je ne réponds plus de rien. En raison du public mineur présent dans les parages, je ne crois pas que ce serait très indiqué.

J'entends d'ailleurs quelques gloussements ponctuer ma phrase.

Faisant fi de ma remarque, John m'embrasse dans le cou.

— Tu es libre ce soir ? Dîner à la maison ?

— Euh… Oui, je suis libre ce soir. Et Lou ?

— Elle sera ravie que tu dînes avec nous.

Il approche sa bouche de mon oreille et murmure :

— Heureusement, elle se couche tôt. Et elle a le sommeil profond…

40

Finalement j'ai opté pour une tenue confortable mais que j'espère néanmoins sexy, un jean slim noir et un pull fin bleu clair en cachemire avec un col en V qui met ma poitrine en valeur. Le tout complété par des bottes noires à hauts talons.

Une touche de maquillage et, trente minutes plus tard, enfin quarante-cinq pour être honnête [1], je suis devant l'appartement de John.

— Oui, c'est pour quoi ? demande John après m'avoir ouvert la porte.

— Je suis un peu en retard, je suis désolée. C'est mon poisson rouge qui a encore fait des siennes.

— Je suis désolée, mademoiselle, mais à cette heure-ci nous n'acceptons plus que les jeunes femmes portant des robes noires affreusement sexy.

Il fait mine de refermer la porte.

— Et si je vous disais que ce qu'il y a sous ces vêtements est noir, en dentelle et affreusement sexy ?

— Je dis que cela devrait compenser, me répond-il en s'écartant pour me laissant entrer.

---

1. Le temps de remettre le suicidaire Raymond dans son bocal.

Ça sent divinement bon dans l'appartement.

— Ne me dis pas qu'en plus de tes talents de skieur et de danseur tu sais cuisiner ?

— Non, sur ce coup-là, je préfère jouer les modestes. Mes talents culinaires se limitent aux coquillettes au beurre. Je suis passé prendre un plat à emporter chez le traiteur sur le chemin du retour. J'espère que tu as faim ! J'ai eu la main lourde, je crois, sur les proportions.

— Ne t'inquiète pas, j'ai très faim.

Et pas que de nourriture...

— Lou est déjà couchée ?

Pour plus tard, on a dit, Molly...

— Non, elle joue dans sa chambre en t'attendant. Ce soir, c'est fête, elle aura le droit de se coucher un peu plus tard.

Pas trop, j'espère...

— Tu me laisses aller lui dire que je suis arrivée ?

— Pas de problème, j'ai encore quelques bricoles à faire en cuisine. Sa chambre est à l'étage, première porte à droite.

Une fois en haut de l'escalier, je me dirige discrètement vers la chambre de Lou, pour lui faire une surprise. Sa porte est entrouverte et je l'entends parler.

Je m'approche et l'observe sans rien dire. Elle est assise sur son lit avec trois poupées. Elle en tient deux dans ses mains et l'autre se trouve tout au bout du lit.

— Maman, maman, demande-t-elle en imitant une voix de bébé, regarde la petite fille toute seule là-bas. Elle n'a pas de maman ?

— Non, elle n'a pas de maman. Et tu sais pour-quoi ? Parce que sa maman l'a abandonnée. Voilà ce qui arrive quand on n'est pas jolie ou qu'on est méchante, les mamans s'en vont.

Peinée par ce que j'entends, je ne peux m'empêcher de pousser la porte et d'entrer dans la chambre. Lou lâche ses poupées et se tourne vers moi.

Je m'assois à ses côtés sur le lit. Elle regarde fixe-ment droit devant. Je sens que j'ai pénétré dans un univers qu'elle souhaitait garder pour elle.

Je pose ma main sur sa tête et commence à lui caresser lentement les cheveux. Ce geste déclenche des larmes qu'elle tente de refouler.

— Tu sais, ma puce, je crois que ta poupée a tort. Une maman ne part pas parce qu'elle trouve que sa petite fille n'est pas jolie. Et d'ailleurs, les mamans trouvent toujours que leurs petites filles sont jolies.

Lou me regarde le visage baigné de larmes.

— Pourquoi est-ce que ça part, une maman, alors ?

Bouleversée, je la prends dans mes bras.

— Je ne sais pas mais tu ne dois pas penser que c'est à cause de la petite fille. Tu es très jolie et tu n'as rien fait de mal. Ce n'est pas ta faute, Lou.

— Ma maman est partie. Pourquoi est-ce qu'elle est partie, Molly ? Si elle m'aimait, elle serait restée. Et papa ? Tu crois qu'il va partir, lui aussi ?

— Je ne sais pas pourquoi ta maman est partie. Sans doute pour des raisons de grande personne. Mais ce dont je suis certaine, c'est que ce n'est pas à cause de toi. Et ton papa sera toujours là. Tu es la personne la plus importante à ses yeux. Est-ce que tu lui as demandé pourquoi ta maman était partie ?

— Non… Papa, il aime pas quand on parle de maman. Je crois que ça le met en colère.

— Mais non, ça ne me met pas en colère. Jamais.

John à son tour nous a rejointes dans la chambre.

— Comment est-ce que tu peux penser que c'est ta faute si maman est partie ? Tu es une petite fille si merveilleuse, ma princesse, si merveilleuse.

Lou se jette dans les bras de son père et je profite de ce moment d'intimité entre John et sa fille pour m'éclipser et redescendre dans le salon.

La table est mise et plusieurs bougies brillent. À mon tour, l'émotion me saisit. Pauvre petite Lou qui depuis toutes ces années se punit du départ de sa mère et s'interdit d'être heureuse.

Je ne sais rien de cette femme, rien de ce qu'elle a pu ressentir, et pourtant je ne peux m'empêcher d'être en colère contre elle. Comment a-t-elle pu tout abandonner comme ça ?

Un long moment s'écoule avant que John ne me rejoigne sur le canapé.

— Comment va-t-elle ?

— Elle s'est endormie. Je savais bien qu'il y avait quelque chose qui n'allait pas. Mais je ne pensais pas qu'elle se rendait responsable du départ de sa mère. Je m'en veux tellement de ne pas avoir compris.

— Tu es un papa formidable, John, toi aussi, tu as souffert de cette situation. Vous n'êtes pas responsables, ni toi ni ta fille.

Il prend tendrement mes mains dans les siennes. Son regard plonge dans le mien. Pour une fois, j'ai du mal à interpréter ce qu'il ressent.

— Tu es vraiment quelqu'un d'extraordinaire. Elle avait raison.

— Qui avait raison ? je demande en souriant.

Il semble hésiter un instant.

— Marie.

41

— Marie ? Marie qui ?

— Marie, ta meilleure amie. Celle qui est…

Je retire ma main de la sienne presque instantanément.

— Comment se fait-il que tu connaisses Marie ?
Je ne t'ai jamais parlé d'elle.

Je le regarde se lever et faire quelques pas vers la
table où sont dressées les assiettes pour le dîner avant
de se tourner à nouveau vers moi.

— Écoute, Molly, cela fait plusieurs jours que j'hésite à t'en parler, que j'ai envie de t'en parler. Mais
j'avais peur que… Et ce soir, après t'avoir entendue
réconforter ma fille, je me dis que je n'ai plus le
droit de te cacher ça. Que tu dois connaître la vérité.

— John, tu me fais peur, là…

— Marie et moi, nous nous connaissions. Nous
étions amis. Je l'ai rencontrée l'année dernière lors de
son séjour ici avec son frère. Nous avons sympathisé.
C'était quelqu'un de tellement attachant.

À l'évocation de mon amie, mes yeux s'embuent.
Je peine encore à comprendre ce que John est en
train de me dire.

— Nous échangions régulièrement par téléphone. Et puis elle a appris pour son cancer. Pour une raison qui m'échappe, elle était convaincue qu'elle ne s'en sortirait pas. Alors qu'elle était la joie de vivre incarnée. C'est là qu'elle m'a parlé de toi. Elle était persuadée que nous étions faits l'un pour l'autre, qu'il fallait que tu quittes Paris.

Je me lève brusquement du canapé, frappée par une image qui me revient du jour de l'enterrement.

Je suis dans l'allée centrale, fuyant ce cercueil que je ne veux plus voir, et là, à côté d'un pilier, à l'écart des autres…

— Tu étais là ce jour-là ? Au dernier rang dans l'église ? C'était bien toi ?

— Oui…

— Voilà pourquoi ton visage m'a paru familier la première fois qu'on s'est vus. J'ai croisé ton regard lorsque je suis sortie précipitamment de l'église. Ça me revient maintenant. Mais je ne comprends pas. Pourquoi est-ce que Marie ne m'a jamais parlé de toi ? C'est insensé, elle et moi, on n'avait pas de secrets l'une pour l'autre.

À l'évidence, ce n'était pas le cas, et le découvrir rend les choses encore plus douloureuses.

— Et pourquoi est-ce que tu ne m'as rien dit ?

— Je ne sais pas. Ça m'a amusé au début sans doute. J'étais curieux de découvrir celle dont Marie m'avait tant vanté les qualités. Et puis, je crois que j'ai fini par avoir des sentiments pour toi et ensuite c'était trop tard.

Les morceaux du puzzle se mettent peu à peu en place dans mon esprit.

— Tu savais que j'allais venir à Grenoble ?! Je veux dire, le jour où tu m'as parlé sur les pistes, tu savais que j'y serais ? Tu savais que c'était moi ? Bien sûr, suis-je bête ! Quelle autre raison y aurait-il eue pour que tu m'adresses la parole ?

— Oui, je savais que tu viendrais. Marie avait tout organisé. Encore aujourd'hui, je me demande comment elle a réussi à m'embarquer dans son scénario...

— Parce que personne ne pouvait résister au pouvoir de persuasion de Marie, à son enthousiasme, murmuré-je plus pour moi-même que pour John.

— Un jour au téléphone, je lui ai parlé de la prof de danse de Lou qui venait de déménager et elle s'est écriée que c'était le destin. Qu'il fallait absolument qu'elle fasse ça avant de partir. Qu'elle fasse ça pour toi.

Une Molly, ça mérite un John...
Et puis il y a Sacha... Alors voilà, je voudrais que tu partes à ma place pour un week-end à Grenoble. Et que tu l'accompagnes.

Sacha...

— Sacha était dans le coup, lui aussi, c'est ça, hein ? J'étais avec lui lorsque j'ai vu l'annonce pour le poste de professeur de danse. Ça non plus, ce n'était pas un hasard ? Je me trompe ?

— Molly, je suis désolé...

— Comment ça, tu es désolé ? Désolé de t'être foutu de ma gueule, c'est ça ?

— Il ne faut pas que tu le prennes mal...

— Pas que je le prenne mal ? Tu veux que je le prenne comment ? Ce qui m'est arrivé ces derniers mois a été organisé à mon insu, comment est-ce que tu veux que je réagisse ? C'est comme si toutes les décisions que j'avais prises m'échappaient d'un seul coup. Comme si tout s'écroulait. J'étais tellement fière de moi ! Mais en fait quelqu'un tirait les ficelles.

Je me mets à pleurer.

— Et nous… Je me disais que c'était comme si nous nous connaissions depuis toujours. Comme si tu devinais ce qu'il fallait dire ou faire pour me rendre dingue de toi. En fait, tu savais. Tu savais déjà tout de moi. Il n'y a rien de magique dans notre relation. Rien que du coup monté. Tu avais les cartes en main, tu n'avais plus qu'à les jouer.

John tente de me prendre dans ses bras. Je me dégage brutalement.

— Molly, s'il te plaît, je te promets que j'ai toujours été sincère avec toi.

— Sincère ? Tu te fiches de moi ?

— Sincère dans mes sentiments.

— Ah oui ? Et si Marie ne t'avait pas parlé de moi, est-ce que tu te serais arrêté sur la piste la première fois ? Si Marie ne t'avait pas parlé de moi, est-ce que tu te serais intéressé à moi ? Sois honnête. Est-ce qu'il y aurait eu un « nous » sans l'intervention de Marie ?

— On s'en fiche, non ? Ce qui compte, c'est ce qu'il y a entre nous aujourd'hui.

— Non, je suis désolée, moi, je ne m'en fiche pas. Tu ne t'es pas intéressé à moi naturellement. C'est comme si vous m'aviez manipulée, comme si vous vous étiez joués de moi. Peu importe ce qu'il y a entre nous aujourd'hui, ce quelque chose est faux.

Le visage brouillé de larmes, je me précipite vers l'entrée, attrape mon sac et ouvre la porte pour quitter l'appartement. Je dévale les trois étages qui mènent à la sortie.

Mais pourquoi est-ce que tu m'as fait ça, Marie ? Pourquoi ?

Une fois rentrée chez moi, je peine à me calmer. Je suis déçue et tellement en colère. J'ai beau essayer de mettre de l'ordre dans tout ça, je suis incapable de trouver une explication logique et rassurante. J'ai l'impression de perdre Marie une seconde fois, de ne plus la connaître. Pourquoi ne m'a-t-elle pas parlé de John si elle était convaincue que c'était l'homme de ma vie ? C'était simple, pourtant : *Molly, j'ai rencontré un type à Grenoble et je suis sûre qu'il serait parfait pour toi.* Voilà, rien de bien sorcier.

Mais non, elle a choisi de ne rien dire et de monter un plan tordu.

Alors que je fais les cent pas dans le salon, mon regard se pose sur le tas de lettres sous la table basse. D'un mouvement brusque je me baisse pour les attraper. *Je voudrais que tu vives pour moi.* Tu parles ! Tout ça, c'était de la manipulation.

Et là, subitement, je sais ce qu'il me reste à faire. Je fourre rageusement les lettres dans mon sac, attrape mon téléphone et compose le numéro de Nadège.

— Oui ?

— Nadège, c'est moi, Molly.

— Tout va bien ? Tu as une drôle de voix.

— Je suis désolée de te demander ça, Nadège, mais j'ai besoin de quelques jours de congé pour remonter chez mes parents.

— Rien de grave, j'espère ?

— Si. Enfin non. Mais il faut impérativement que je clarifie quelque chose. Je te promets que je t'expliquerai tout plus tard. Là, si j'essaie, je vais me remettre à pleurer.

— Tu m'as l'air bouleversée, me dit-elle apparemment inquiète. Tu veux que je t'accompagne ? Je peux fermer le salon de thé pour deux jours. Ça me fera du bien de prendre des vacances.

— C'est gentil, Nadège, ça me touche vraiment mais tu ne vas pas fermer pour moi…

— Il n'y a pas de mais. Je sens bien que tu ne vas pas bien. Si tu veux, on peut prendre la route dès ce soir, comme ça tu seras chez toi tôt demain matin.

— Nadège, je ne sais pas quoi dire…

— Eh bien ne dis rien. À quoi servent les amies, sinon ? Je suis chez toi dans quinze minutes.

Très émue, je n'ai même pas le temps de la remercier qu'elle a déjà raccroché.

Je file dans ma chambre préparer quelques affaires.

J'ai à peine le temps d'appeler ma mère pour la prévenir de mon arrivée le lendemain – ce qui me vaut aussitôt une multitude de questions – que Nadège sonne déjà à la porte.

Je lui ouvre et fonds de nouveau en larmes. Elle me prend dans ses bras.

— Mais que se passe-t-il, Molly ? C'est Viviane ? C'est John ?

— C'est Marie.

— Marie ?

— Je te raconterai dans la voiture, ça nous tiendra éveillées, lui réponds-je entre deux sanglots.

42

7 avril

Je suis réveillée par les rayons du soleil qui percent à travers les rideaux de ma chambre.

Le trajet en voiture s'est déroulé sans encombre et nous sommes arrivées chez mes parents vers 4 heures du matin.

La chambre d'amis était prête pour Nadège. Je l'ai remerciée pour la millième fois de sa présence avant de m'écrouler sur mon lit. Moi qui pensais ne pas fermer l'œil de la nuit, j'ai sombré dans le sommeil à peine la tête posée sur l'oreiller.

À ma grande surprise, il est déjà 11 heures lorsque je rouvre les yeux. Je me lève d'un bond. Il faut absolument que je voie Sacha. Sans même prendre de douche, j'enfile mon jean de la veille et troque le pull en cachemire contre un sweat plus confortable.

Je sors de ma chambre et me dirige vers la cuisine d'où proviennent des éclats de rire. Nadège et ma mère sont toutes les deux devant les fourneaux. Une bonne odeur de pancakes fait gronder mon estomac relativement mécontent de n'avoir rien eu à se mettre sous les enzymes hier.

— Bonjour, vous deux.

Le visage radieux, ma mère se tourne vers moi, un fouet à pâtisserie à la main.

— *Hello, sweety.* Bien dormi ? Comment se fait-il que tu ne m'aies pas présenté Nadège avant ? C'est une cuisinière de génie !

À mon tour de sourire. Je savais que ma mère adorerait Nadège. Elles ont toutes les deux tellement en commun.

— Ça sent drôlement bon. Vous avez préparé quoi ?

— Des pancakes aux bananes et sirop d'érable, m'annonce Nadège en déposant une assiette pleine devant moi.

Mon estomac rageur et vide gronde de plus belle.

Je m'assois sur un tabouret et attrape une fourchette. Les pancakes sont succulents et je constate que mes déconvenues amicales et amoureuses n'ont aucun impact sur mon appétit. Le traître !

Pendant que je dévore mon petit déjeuner, j'observe ma mère et Nadège qui sont reparties dans leurs discussions culinaires, le nez au-dessus d'une casserole, visiblement absorbées dans une tâche de la plus haute importance.

Une fois rassasiée, je m'éclipse et gagne l'entrée pour enfiler une paire de baskets. Discrètement, je quitte la maison et me dirige vers celle de Charlotte et Sacha.

Si ma colère renaît instantanément, ma déception, elle, a baissé d'un cran. Je me sens moins à vif qu'hier et bénis Nadège de m'avoir accompagnée. Les mots apaisants qu'elle a su trouver sur la route ont manifestement produit leur effet.

Je sonne et c'est Charlotte qui m'ouvre.

— Molly ? Mais qu'est-ce que tu fais là ? Il n'est rien arrivé à tes parents au moins ?

Est-ce la perte d'un être cher qui conduit à envisager invariablement les événements sous cet angle ?

— Non, Charlotte, ne t'inquiète pas. Ma mère est dans la cuisine avec Nadège en train de préparer des tas de trucs délicieux. Tu devrais les rejoindre.

— Nadège ?

— Ah oui, pardon. Nadège, ma patronne. Et amie. Elle m'a accompagnée cette nuit en voiture.

— Tu as fait toute cette route de nuit ? Tu es sûre que ça va ?

— Sacha est là ? demandé-je en éludant sa question.

— Euh, oui. Il doit être dans le jardin. Il y passe de plus en plus de temps. Je crois que ma compagnie n'est pas des plus distrayantes.

— Raison de plus pour rejoindre maman et Nadège à côté. Je suis certaine que, toi aussi, tu vas l'adorer. Et puis comme ça, tu ne seras pas perdue quand tu l'accompagneras dans quelques semaines à Grenoble.

Je lui fais un clin d'œil auquel elle me répond par un sourire timide. C'est un début.

— Tu as raison, il faut que je sorte d'ici. J'ai l'impression d'étouffer un peu plus à chaque seconde.

Je l'embrasse sur la joue et la regarde se diriger vers la maison de mes parents. Puis j'avance vers le jardin afin de retrouver Sacha.

Il est là, en train de désherber un plant de fleurs.

— Comment as-tu pu faire un truc pareil ?

263

Il sursaute au son de ma voix et se redresse d'un coup. Je ne lui laisse pas le temps de répondre.

— Tu es comme mon frère, Sacha, comment est-ce que tu as pu me manipuler comme ça, me laisser croire que tout ce qui arrivait était le fruit du hasard ?

Je vois son visage se décomposer.

— Ah… Tu es au courant.

— Oui. Figure-toi que John m'a tout raconté hier. Il s'est dit que maintenant que j'avais bouleversé toute ma vie, j'avais le droit de savoir pourquoi.

— Je lui ai dit que c'était une mauvaise idée. Je te jure que je le lui ai dit. Que tu finirais par découvrir le truc.

— Tu l'as dit à qui ? À John ?

— Non. À Marie.

Ses épaules s'affaissent. Pour lui, comme pour moi, Marie reste un prénom difficile à prononcer.

— Elle n'a rien voulu savoir, poursuit-il. Elle m'a juré qu'elle viendrait me hanter jour et nuit si je n'acceptais pas. Elle a joué sur le fait qu'elle allait mourir et que je devais lui faire cette promesse. Tu sais comment elle était.

Oui, je sais. Têtue. Déterminée.

— Je me suis dit que peut-être ça ne marcherait pas. Que peut-être tu resterais à Paris. Et quand tu m'as annoncé que tu partais, que tu quittais Germain, j'ai culpabilisé. Plusieurs fois, je t'ai demandé si c'était ce que tu voulais vraiment. Mais tu paraissais tellement convaincue !

— Mais pourquoi est-ce qu'elle a fait ça ? Pourquoi est-ce qu'elle ne m'a pas parlé de John directement plutôt que de mettre en place tout ce scénario ? C'est ma vie ! C'est à moi de décider vers où l'emmener.

À cause d'elle, je ne sais plus ce que je dois croire. Je me sens trahie. Et elle n'est même plus là pour m'expliquer.

Mes jambes se dérobent et je me retrouve assise par terre.

— Elle t'a laissé une vidéo.

Je lève les yeux vers Sacha. Ses mots prennent corps peu à peu dans mon esprit, mais avant que j'aie le temps de dire quoi que ce soit, il reprend :

— Lorsqu'elle était à l'hôpital, elle m'a demandé de lui apporter un Caméscope. Elle s'est filmée avant de me confier l'enregistrement. Pour le cas où tu découvrirais...

43

Sacha a raccordé le Caméscope à la télévision, m'a mis dans la main la télécommande et indiqué le bouton sur lequel appuyer. Puis il s'est éclipsé.

Depuis je suis là, immobile, assise sur son lit, incapable de faire quoi que ce soit

J'essaie de me préparer à ce que je vais voir, à ce que je vais entendre, même si je sais que lorsqu'elle va apparaître à l'écran je vais être anéantie.

J'appuie sur le bouton et la vidéo démarre. Je ne vois d'abord que le bras de Marie en gros plan, essayant de bien positionner le Caméscope, puis elle se recule et emplit l'espace.

Fébrile, je cherche le bouton « pause » sur la télécommande que je presse maladroitement. L'image se fige.

C'est bien Marie. Elle est pâle et amaigrie, signe que la maladie avait déjà gagné la partie lorsqu'elle a tourné la vidéo.

La violence de l'image me coupe le souffle. Je sens monter une crise de larmes. Il me faut plusieurs minutes pour trouver le courage de lancer de nouveau la bande.

— Coucou... Oui, je sais ce que tu penses, c'est un peu bizarre, cette vidéo, mais je ne voyais pas comment faire autrement... Puisque tu es en train de la visionner, c'est forcément que tu es au courant pour John. Évidemment, je n'ai aucune idée de comment tu as su, ni même si cela fait longtemps, mais te connaissant, tu es très en colère...

Ne le sois pas, Molly, je t'en prie.

Même si je donnerais n'importe quoi pour qu'il en soit autrement, je ne pourrais rien faire d'autre que cette vidéo pour tout t'expliquer, alors tu vas devoir me faire confiance.

J'ai rencontré John lors de la semaine que j'ai passée à Grenoble avec Sacha et ses copains. Je skiais et je l'ai emplafonné lors d'une descente. J'étais tellement désolée que je lui ai proposé de se joindre à nous le soir pour le repas, pour me faire pardonner. Il a accepté et on a fait connaissance. Je l'ai tout de suite trouvé sympa. On s'est revu une ou deux fois dans la semaine et on a échangé nos numéros de téléphone, histoire de rester en contact.

Il n'y avait rien d'extraordinaire à raconter. Et puis les semaines qui ont suivi, on s'est envoyé des messages, on a discuté au téléphone. Petit à petit, je me suis aperçue que vous aviez beaucoup de points en commun, et j'ai pensé que vous seriez parfaitement assortis. Mais toi, tu venais tout juste de te faire larguer par Hugo et t'étais clairement pas au mieux. Et puis tout de suite après il y a eu Germain... Mon Dieu, Germain, rien que d'y penser, j'ai envie de dormir...

À l'époque je m'étais dit que je t'emmènerais avec moi à Grenoble en janvier et que je te le présenterais directement. Que ce serait le mieux, que la magie opérerait et que tu tomberais amoureuse de lui au premier regard.

Et puis, j'ai appris que j'étais malade...

Évidemment, tu te dis que j'aurais pu te parler de lui à ce moment-là. J'ai hésité, je te jure. Et puis je me suis dit que si je t'avais annoncé : « Hé ! tu sais, j'ai rencontré un type super qui vit à Grenoble, il serait parfait pour toi », tu aurais souri et ça en serait resté là. Jamais tu ne serais allée le voir, reconnais-le.

Pourtant, j'étais tellement certaine que vous étiez faits l'un pour l'autre que je ne voulais pas risquer que tu passes à côté de lui. Jusqu'au jour où il m'a parlé de cette histoire de prof de danse qui déménageait. Je me suis dit que c'était le destin.

Alors, j'ai mis sur pied tout ce scénario, ces lettres.

Tu méritais tellement mieux, Molly ! Je voulais juste te donner un petit coup de pouce. Et au fond de moi, je me suis dit que peut-être tout ça te rendrait ma mort moins dure.

Ça n'a pas été simple de convaincre John et Sacha. D'ailleurs Sacha n'a pas arrêté de me dire que c'était une mauvaise idée, que je n'avais pas le droit d'influer sur ta vie comme ça. Mais si c'est pour une vie meilleure, qui rend plus heureux, pourquoi est-ce qu'on n'aurait pas le droit ? C'était un risque et j'ai choisi de le prendre. Parce que je t'aime, Molly, et que je souhaite par-dessus tout que tu sois épanouie.

Il ne faut pas en vouloir à John et Sacha. Je peux être très têtue quand je m'y mets et clairement je ne leur ai pas laissé tellement le choix. Si tu dois en vouloir à quelqu'un, c'est à moi.

Voilà, tu sais tout. J'espère que tu me pardonneras, que tu comprendras mes raisons. Il faut que tu vives pleinement, Molly. Tu dois rire, aimer, danser, vibrer, tomber mais te relever, ne jamais renoncer, jamais.

Et si tu dois m'en vouloir, tant pis. Tu en vaux la peine.

Puis son bras se tend de nouveau vers le Caméscope et il n'y a plus rien qu'un écran noir. Elle n'est plus là.

Lentement, je pose la télécommande sur le lit, je m'allonge et je ferme les yeux.

44

— Voilà, tu sais tout.

Je me tourne vers Viviane que je n'ai pas osé regarder pendant mon récit.

Après avoir visionné la vidéo, je lui ai laissé un message où je lui demandais de me rejoindre chez mes parents dès qu'elle serait disponible, sans plus de détail. J'avais besoin d'en avoir le cœur net.

Son visage stupéfait me confirme qu'elle n'était au courant de rien. Cela me réconforte, je ne sais pas si j'aurais supporté qu'elle soit dans le coup elle aussi.

— Alors ça, jamais je ne me serais attendue à une histoire pareille !

— Et moi donc.

— Comment tu te sens ? Question un peu stupide, je l'avoue, tu as une mine épouvantable.

— Je me sens… dépossédée de ma propre vie. C'est comme si tout m'avait subitement échappé. Comme si plus rien ne m'appartenait. C'est bizarre, comme sensation. Pas très agréable.

— J'imagine. Et John ? Tu as discuté avec lui depuis hier soir ?

— Non. Et je ne veux plus jamais lui parler.

— Molly…

— Quoi, Molly ?

— Je comprends que tu sois en colère, mais tu devrais peut-être te laisser le temps d'y réfléchir.

Elle laisse passer quelques secondes puis ajoute :

— Inutile de le nier, Marie et moi n'étions pas les meilleures amies du monde. C'est comme ça, on n'y peut pas grand-chose. Mais je suis sûre d'une chose, l'affection qu'elle avait pour toi était sincère. Toutes les deux, vous étiez comme des sœurs.

— C'est justement ça qui me fait le plus de mal. Me dire qu'elle m'a manipulée. Elle, Marie, celle qui était comme ma sœur.

— Ces lettres… Je trouvais ça morbide. Mais maintenant que je connais le fond du truc, je t'avoue que je comprends mieux.

— Tu comprends ?

— Oui. C'était son cadeau pour toi. Juste avant de partir. Elle voulait t'offrir une vie meilleure. C'est un joli cadeau…

— Un cadeau ? Me laisser croire que…

— Est-ce que tu t'es regardée ces derniers temps, Molly ? m'interrompt Viviane. Je veux dire, vraiment regardée ?

— …

— Tu parais tellement plus heureuse. Tellement plus enthousiaste. Et ça, c'est grâce à Marie. Peut-être que tu devrais simplement accepter tout ça et en profiter. Au fond, le point de départ importe peu si tu es heureuse et si les sentiments de John sont sincères.

— C'est exactement les mots qu'il a prononcés hier. Peu importe le point de départ…

— Eh bien tu vois !

— Sauf que pour le moment je suis fixée sur ce fichu point de départ. Je repense à John s'arrêtant sur la piste et je me dis « tout ça était prévu », je me revois courir dans la rue pour semer Sacha, tomber sur cette annonce et je me dis « tout ça était prévu », je nous vois, John et moi, dansant le tango et je me dis « tout ça était prévu »…

Mes larmes jaillissent au moment où Viviane me prend la main.

Non, je ne peux pas me dire « peu importe ».

45

8 avril

Assise sur ma vieille balançoire, dans le jardin de mes parents, je laisse mon esprit vagabonder. L'image de Marie sur la vidéo me hante. Ses mots résonnent en boucle dans ma tête.

Tu méritais tellement mieux, Molly ! Je voulais juste te donner un petit coup de pouce. Et au fond de moi, je me suis dit que peut-être tout ça te rendrait ma mort moins dure.

Comment est-ce que sa mort pourrait être moins dure ? Comment ? C'est comme si c'était pire aujourd'hui.

Si je t'avais annoncé : « Hé ! tu sais, j'ai rencontré un type super qui vit à Grenoble, il serait parfait pour toi », tu aurais souri et ça en serait resté là. Jamais tu ne serais allée le voir, reconnais-le.

Qu'est-ce qu'elle en savait ? Peut-être que je lui aurais fait confiance, peut-être que je serais allée le voir ?

Pourtant, une toute petite voix au fond de moi me murmure qu'elle avait probablement raison, que jamais je n'y serais allée. Et qu'aujourd'hui je préparerais mon mariage avec Germain.

— Tu acceptes un peu de compagnie ?

Sacha s'est approché de moi. D'un geste, je lui désigne la seconde balançoire. Celle qui était pour Marie quand, petites, nous en faisions toutes les deux. Il s'y assoit un peu maladroitement.

— Tu m'en veux ? commence-t-il.

— Non.

Ma réponse a été instantanée, sincère. Non, je n'en veux pas à Sacha, j'en suis certaine. À plusieurs reprises il m'a questionnée, à plusieurs reprises il a cherché à savoir si j'étais heureuse.

— Et… à elle ?

— Je… À vrai dire, je n'en sais trop rien. Elle voulait vraiment que je sois heureuse, je crois. Et pourtant, je me sens si mal.

— Elle t'aimait comme une sœur, tu sais. Elle était prête à tout bousiller si c'était le prix de la vie qu'elle voulait pour toi.

— Qu'elle voulait… C'est justement ça, le fond du problème. C'est elle qui voulait ça pour moi. La danse, Grenoble. Et John… Mais est-ce ce dont moi, j'avais envie ? J'ai l'impression de n'être plus sûre de rien. Je veux ma vie. Celle que je me construis, celle qui est le résultat de mes décisions, bonnes ou mauvaises.

— Je t'ai emmenée devant l'annonce, c'était ça, ma mission, Molly, te faire passer devant et rien d'autre. C'est toi qui as décidé d'appeler, toi qui as voulu partir là-bas. Personne d'autre que toi. Tu aurais pu ne rien faire, juste lire cette annonce et rentrer à Paris retrouver Germain et ton boulot de serveuse.

Et crois-moi, je n'aurais pas cherché à t'en dissuader, quoi que puisse en penser Marie.

Je voulais juste te donner un petit coup de pouce.

— Mais John ? C'est lui qui est venu vers moi, c'est lui qui m'a séduite. Et pas pour les bonnes raisons.

— John est un type bien. Il... Il m'a appelé ce matin pour savoir si j'avais de tes nouvelles. Il était visiblement inquiet et, si tu veux mon avis, plutôt malheureux de la situation. Il est venu vers toi poussé par Marie, mais c'est toi qui lui as plu. Marie ne pouvait pas commander vos sentiments.

— Toi aussi, tu vas me dire que peu importe le point de départ, c'est ça ? lui demandé-je en souriant.

— J'allais plutôt dire que c'est toi qui as établi le point d'arrivée. Il aurait pu être à Paris avec Germain ou je ne sais qui. Tu l'as fixé à Grenoble avec John.

— Je ne te savais pas si philosophe.

Nous restons quelques instants silencieux. Sacha a perdu son père et sa sœur. Il voit sa mère sombrer un peu plus chaque jour. Et moi, je me plains. Je repense à mes élèves, à leur joie de répéter pour le spectacle. Je repense à mon impatience de voir Gabriel danser devant ses parents. À ma rencontre avec Nadège. À nos fous rires. Et puis, il y a John...

— C'est quoi, ça ? me demande soudain Sacha en désignant une boîte en carton à côté de moi.

— Ce sont les lettres de Marie. Pour les prochains mois.

— Ah…

— J'ai décidé de ne pas les ouvrir. Maintenant que je sais de quoi il retourne, j'ai peur de ce qu'elles pourraient contenir. Peur qu'elles influent une nouvelle fois sur ma vie.

— Tu vas les jeter ?

— J'y ai pensé. Mais je sais que je serais incapable de m'en débarrasser. Tu veux bien les garder pour moi ? Un jour, peut-être que je les lirai.

46

12 avril

À croire que la fermeture d'*Aux Délices de Nadège* pendant quelques jours a eu du bon, je ne compte plus le nombre de tasses de thé ni de cookies au beurre de cacahuète que j'ai servis depuis ce matin.

Nadège est repartie de chez mes parents avec la recette typiquement américaine de ma mère, et les clients sont unanimes, ils sont particulièrement délicieux.

— Il faut absolument que j'appelle ta mère pour la remercier ! Tu as vu le nombre de cookies que l'on a vendus aujourd'hui ? Cette recette va même finir par détrôner celle de mes sandwichs aux œufs.

Après avoir fermé le salon, Nadège se dirige vers la cuisine et revient avec un plateau chargé de sandwichs et une pleine théière fumante.

— Régale-toi !

Nous nous asseyons toutes les deux et je mords avec gourmandise dans un bagel.

— Tu as aussi changé la recette de celui-ci ? questionné-je Nadège, la bouche pleine.

— Oui. Après avoir passé ces quelques jours aux fourneaux en compagnie de ta mère, je crois que je vais revoir toute ma carte. On devrait peut-être s'associer, toutes les deux.

— Et elle finirait par te rendre folle ! Non mais tu as vu comment elle est avec les costumes de mon spectacle de danse, alors imagine ce que ce serait si elle s'investissait dans ton salon de thé ! D'ailleurs, pourquoi lui as-tu proposé de les coudre à ta place ? Malheureuse !

Nous rions.

— Elle est enthousiaste, c'est tout. J'aime les gens enthousiastes, moi.

— Enthousiaste ou survoltée ? dis-je en riant. Parce qu'il y a une nuance qui fait toute la différence.

— Ces costumes, ça donne quoi, alors ? Ses idées sont bonnes, au moins ?

— Je dois reconnaître que oui. Je sais qu'ils seront magnifiques. Elle a toujours été très douée pour les travaux manuels. Lors des défilés de Mardi gras, Marie et moi avions toujours des costumes incroyables. Je me souviens, une année, elle nous avait cousu des costumes de Tic et Tac. Un Tic danseuse étoile pour moi et un Tac pirate de l'espace pour Marie.

— Il existe des photos, j'espère, que l'on puisse les utiliser le jour de ton mariage !

Devant mon sourire crispé, Nadège poursuit :

— Pardon, je crois que j'ai dit une bêtise...

— Mais non, ce n'est rien. Et puis je compte bien me marier un jour. Avec lui ou un autre.

— Tu n'as pas de nouvelles ?

— Il a essayé de m'appeler mais je n'ai pas décroché.

— Ça ne me regarde pas mais, Molly, il va bien falloir que vous mettiez les choses au clair tous les deux.

— Pour quoi faire ? Tout est clair, il me semble.

Nous sommes interrompues par trois coups timides frappés à la porte du salon.

— Quand on parle du loup… me glisse Nadège après s'être retournée.

John se tient derrière la porte. Ne pas répondre à ses appels est une chose, ne pas lui ouvrir la porte alors qu'il nous voit clairement assises à l'intérieur en est une autre.

— Je lui ouvre ? demande Nadège.

J'acquiesce de la tête et elle se lève pour se diriger vers l'entrée du salon. Je les regarde échanger quelques mots dont j'ai du mal à comprendre le sens. Mon cœur s'est emballé à la vue de John et mon esprit peine à se concentrer. Il se tient là tout près ; évidemment je le trouve encore plus beau que dans mon souvenir.

Il s'approche, je me lève à mon tour. L'odeur de son parfum emplit l'espace, mes jambes se liquéfient[1].

— Bonjour, Molly. Je suis content de te voir.

Cette voix pleine et sensuelle. Pourquoi je ne peux pas le trouver petit, avec un gros nez, sentant le jus de poubelle et avec une voix de crécelle ?

— Bonjour, John.

Même le prénom est sexy.

— Je… J'ai eu Sacha au téléphone et il m'a dit pour la vidéo de Marie. J'imagine combien tu dois être bouleversée par tout ça.

1. Ce qui est assez peu pratique lorsqu'on est debout…

Le visage de Marie s'impose de nouveau devant mes yeux, ses mots résonnent comme un écho.

— Molly, poursuit John, je te promets que je n'ai jamais voulu jouer avec tes sentiments. À aucun moment. Il faut que tu me croies.

— Je te crois.

Étonnamment, c'est vrai. À le voir en face de moi, affecté, je sais qu'il est sincère.

Il s'approche, un sourire timide éclairant son visage.

— Pour autant, il y a comme quelque chose de brisé, John. Je suis désolée. Je voudrais pouvoir passer au-dessus mais pour le moment je ne peux pas.

Son sourire disparaît.

— Je comprends. Et tu crois qu'un jour… ?

— Je ne sais pas. Peut-être, oui. Un jour.

— Bon. Un peut-être, c'est toujours mieux qu'un jamais. D'ici là je vais continuer à perfectionner mon tango.

Il accompagne cette dernière réplique d'un petit clin d'œil. Lui et moi dansant, tendus de désir l'un pour l'autre, son corps sur le mien, ses mains sur moi… Alors que les émotions de cette soirée emplissent mon esprit, une petite voix s'élève : il ne se serait pas arrêté ce jour-là sur la piste s'il n'y avait pas eu Marie, il n'aurait probablement pas eu un seul regard pour toi. Instantanément, la chaleur fait place à la blessure.

Un jour peut-être, mais pas tout de suite.

— Il faut que je te laisse, John. Nadège a besoin de moi en cuisine afin de tout mettre en place pour le prochain service.

47

12 mai

Dans la salle de danse règne un chaos indescriptible. Il y a du tissu partout, des rubans, du tulle. Ma mère et Charlotte sont arrivées hier, dans une voiture chargée à ras bord, prêtes à transformer ma modeste salle de danse en Scala de Milan.

— *Sweety*, alors, comment tu trouves ?

Au fond de la salle, de part et d'autre du mur, ma mère a accroché une corde sur laquelle elle a fixé deux pans de rideaux de velours rouge. En bas de chaque rideau, elle a cousu un galon doré de plusieurs centimètres de haut, donnant à l'ensemble une touche chic et très professionnelle.

— C'est magnifique, maman. Mais tu ne m'avais pas dit que tu avais fabriqué un rideau de scène !

— Si je te l'avais dit, ça n'aurait pas été une surprise. C'est une représentation de *Casse-Noisette* que tu organises, pas une petite kermesse de campagne.

Ma mère et son sens de la mesure.

Des exclamations de surprise dans mon dos m'indiquent que mes élèves sont arrivés. Je me retourne et découvre avec plaisir les étoiles qui brillent dans leurs yeux.

— Comme c'est beau, Molly ! C'est toi qui as fait ça ? m'interroge Gabriel.

— Ouh là, non, j'en serais bien incapable. Monter un meuble est déjà toute une aventure pour moi[1] alors coudre un rideau de velours... C'est ma mère qui vient de me faire cette surprise.

Je réunis toute ma petite troupe au milieu de la salle, là où il y a encore de l'espace disponible pour les faire asseoir.

— Je vous présente ma mère, Kathryn, et une amie de la famille, Charlotte. Toutes les deux sont venues m'aider à monter le spectacle. Ma mère a notamment cousu des costumes pour vous.

De nouveau s'élèvent des exclamations de surprise et de joie. Je vois les regards qui se dirigent avec envie vers les sacs disposés çà et là.

— Voilà ce que je vous propose : je pousse tous ces sacs le long du mur et vous faites une petite démonstration de vos talents à ma mère et Charlotte. Ensuite, nous ferons une première séance d'essayage. Ça vous va ?

Les cris fusent aussi vite que les élèves se mettent debout, prêts à exécuter pirouettes et arabesques.

Une heure plus tard, ma mère et Charlotte applaudissent à tout rompre. Je n'ai cessé de les observer du coin de l'œil pendant que mes élèves dansaient. Je suis

---

1. Aucun commentaire... Le meuble télé se porte très bien, merci.

pleinement rassurée, ravie et, je dois l'avouer, plutôt fière. Toutes les filles se sont appliquées. Et Gabriel...

— Quel petit garçon fabuleux tu as là ! s'exclame ma mère. C'est incroyable comme il danse bien.

— Oui. Je suis d'accord. S'il continue, il deviendra danseur étoile. Tu sais qu'il ne danse que depuis quelques mois ?

Nous regardons Charlotte se diriger vers Lou et Alice pour les féliciter.

— Les filles, vous avez merveilleusement bien dansé. Vous êtes si gracieuses. Vos mamans doivent être si fières de vous !

Le temps que j'intervienne, les visages d'Alice et de Lou se sont assombris.

— Comme promis, c'est maintenant l'heure d'essayer les costumes ! Maman, je te laisse leur donner à chacun ce que tu as cousu ?

Tous se précipitent vers les sacs, suivis de ma mère, visiblement ravie d'être là.

— J'ai dit quelque chose qu'il ne fallait pas ? me glisse Charlotte.

— Disons que toutes les deux ont des relations compliquées avec leurs mamans. Ne t'inquiète pas, tu ne pouvais pas deviner. La mère d'Alice est quelque peu... exigeante, dirons-nous. Elle veut que sa fille soit la meilleure, elle attend d'elle qu'elle soit parfaite. Hélas, elle semble ne jamais y parvenir. Malgré toute sa volonté et tout son travail, ce n'est jamais suffisant. Quant à Lou... Sa maman est partie lorsqu'elle était toute petite. Un problème psychiatrique, semble-t-il, je n'en sais pas plus. Lou a fini par penser que c'est sa faute si sa maman l'a abandonnée.

— Pauvres petites.

— Elles me font de la peine. Lou me paraît moins triste malgré tout. Je crois que ça lui a fait du bien de dire à son père ce qu'elle ressentait. Mais il faudra sans doute beaucoup de temps pour qu'elle parvienne à reprendre confiance en elle. Pour Alice, je ne sais pas trop ce que je pourrais faire pour l'aider. Je pensais qu'en lui donnant un rôle principal sa mère serait fière d'elle mais tout ce qu'elle a trouvé à dire, c'est : « Il ne manquerait plus que ma fille ne soit pas la meilleure. »

Nous sommes interrompues par une ronde de petites danseuses en costume vert kaki, rose poudré et gris perle.

— Vous êtes vraiment superbes, les filles ! Ces costumes vous vont à ravir.

— Ils sont trop beaux, Molly. On les adore !

48

16 mai

— Dis, Molly, je me demandais, si tu n'aimes plus mon papa, c'est à cause de moi ?

Accroupie en train d'assembler des éléments de décor en carton, je me redresse pour trouver Lou qui se tient derrière moi. Ses grands yeux tristes me fixent. Elle tortille dans ses mains le bout d'un ruban de satin que Charlotte lui a noué dans les cheveux. Elle fait preuve de beaucoup de tendresse envers elle depuis qu'elle connaît son histoire.

— Mais non, ma puce, ça n'a rien à voir avec toi. Qu'est-ce qui te fait penser ça ?

— Tu ne viens plus voir papa depuis l'autre jour dans ma chambre. Alors je me dis que c'est ma faute.

Bourrelée de culpabilité, je m'approche de la fillette pour la prendre dans mes bras.

— Ce n'est absolument pas ta faute. Tu n'y es pour rien du tout. Je ne veux pas que tu penses ça.

— C'est encore une histoire de grandes personnes ? Moi, je veux pas avoir d'histoire de grandes personnes plus tard. Ce sont des histoires qui rendent toujours tristes.

— Oh, Lou… Je suis désolée.

— Papa aussi est triste, tu sais. Je crois qu'il t'aimait beaucoup.

Ces dernières semaines, je me suis interdit de penser à John, me concentrant tout entière sur le spectacle de danse. Lui aussi m'évite, il n'entre plus dans la salle lorsqu'il vient récupérer Lou après les cours. Elle sort désormais dehors pour l'attendre.

— Moi aussi, tu sais, je l'aimais beaucoup.

Sans trouver les mots, je la serre un peu plus fort dans mes bras. Comment pourrait-elle comprendre ?

— Papa dit que quand on aime quelqu'un on peut tout pardonner.

À son tour, elle resserre son étreinte.

— Tu viens, Lou ? Je m'inquiétais de ne pas te voir dehors.

John se tient à l'entrée de la salle. Nos regards se croisent et je ne peux réprimer un frisson.

Une Molly, ça mérite un John.

28 mai

Dire que je suis surexcitée serait un euphémisme. Je crois ne pas avoir fermé l'œil de la nuit. Si l'on m'avait dit il y a quelques mois que j'organiserais un spectacle de danse, je n'y aurais pas cru.

Mes élèves ont répété sans relâche. Je suis tellement fière d'eux !

Alors que je tente de discipliner mes cheveux en un chignon de danseuse étoile, les enjeux de la journée défilent dans mon esprit.

Gabriel et la surprise qu'il va faire à ses parents. Avec lui, nous avons élaboré un stratagème pour justifier qu'il n'assiste pas au spectacle comme spectateur avec ses parents.

Alice en quête de fierté dans les yeux de sa mère. Je crois que de tous c'est elle qui a le plus travaillé. Je l'ai vue faire et refaire les mouvements devant la glace jusqu'à obtenir la courbe et l'équilibre parfaits. Elle a trouvé en Charlotte une spectatrice de choix, jamais avare de compliments ni de félicitations. Et pour cette petite fille en mal de regards qui brillent, tout a changé. En quelques répétitions, je l'ai vue quitter ses airs de fausse supériorité, prête à aider les autres.

Et puis il y a Lou, et son éternel air triste. Même si les sourires sont plus fréquents, le déficit affectif est encore palpable. Je ne peux m'empêcher de culpabiliser. Jamais je ne pourrai remplacer sa mère mais les mots qu'elle m'a dits il y a peu résonnent toujours en moi.

Un véritable lien s'est créé entre nous, même si ma présence, bien que brève, dans la vie de son père a engendré des espoirs déçus.

John. Depuis plusieurs jours, je ne cesse de penser à lui. Il me manque, inutile de le nier. La connexion entre nous était si forte. Certes, Marie lui a grandement facilité la tâche, mais peut-être qu'il en aurait été de même si je l'avais rencontré par hasard ? Cette hypothèse tourne et retourne dans ma tête. Cette histoire de point de départ arrangé par Marie commence à s'éloigner.

Je souris à mon reflet devant le miroir. Le chignon est parfait, le maquillage, léger et naturel. Je suis fin prête pour ce qui est peut-être la journée la plus importante de ma vie.

Comme chaque fois que j'entre dans la salle de danse, j'ai le souffle court. Ma mère a rendu l'endroit méconnaissable. Le lourd rideau rouge dissimulant la scène et les nombreux décors en carton, les chaises disposées en arc de cercle sur un immense tissu beige donnent à l'ensemble un aspect chaleureux et feutré.

Ma mère, Charlotte et Nadège m'accueillent. Elles aussi commencent à être gagnées par l'impatience. Le long de l'un des murs, Nadège a installé une table buffet sur laquelle elle a déjà disposé une montagne de gourmandises.

Toutes les trois s'entendent à merveille, encore plus depuis qu'elles partagent l'appartement de Nadège, qui a refusé de les savoir logées à l'hôtel.

J'observe Charlotte à la dérobée. Elle est comme transformée. Son teint a repris une belle couleur rosée et le sourire qui la rend si belle refait peu à peu son apparition. S'éloigner de chez elle, de ses souvenirs lui a indéniablement permis de prendre de la distance avec sa souffrance. La vie semble avoir repris ses droits.

La présence de mes élèves y est pour beaucoup. Tous se sont attachés à elle, décelant sans doute son mal de petite fille à cajoler.

— Jamais je ne pourrai assez vous remercier de ce que vous avez fait de cette salle ! Je sais que je n'arrête pas de vous le dire, mais le résultat est exceptionnel.

— Rien n'est trop beau pour les débuts de ma chorégraphe de fille.

— « Chorégraphe » est peut-être un bien grand mot.

— Je ne suis pas d'accord, poursuit Charlotte, ce que tu as fait avec ces petites filles est parfait. Sans oublier Gabriel, bien entendu.

— Pour Gabriel, je n'y suis pas pour grand-chose. Il a la danse innée.

— Je suis excitée comme une môme ! coupe Nadège. Au fait, Molly, j'ai proposé à Antoine, enfin, je veux dire, M. Louvier de venir avec moi. Ça ne t'ennuie pas ?

Je lui fais un petit clin d'œil.

— Absolument pas. Mais je compte sur toi pour ne pas le distraire pendant tout le spectacle.

Ses joues rosissent et j'entends ma mère et Charlotte glousser à côté d'elle. Elles n'ont pas dû faire que de la cuisine pendant leurs soirées chez Nadège. Je me demande soudain ce que sont devenus les romans érotiques…

Une demi-heure plus tard, la salle commence à se remplir. J'accueille chaque personne à la porte, dirigeant les danseuses derrière le rideau pour qu'elles puissent enfiler leur costume, désignant leurs chaises aux parents. Tout le monde semble ravi et impatient.

— Zoé ne me parle que de ce spectacle depuis des semaines, me dit sa maman en arrivant. Elle ne se déplace plus dans la maison qu'en faisant des entrechats.

Je souris.

— J'espère que le résultat vous plaira.

— Je n'en doute pas une seconde, me répond-elle en se dirigeant vers une chaise.

Enfin, les parents de Maddie et Gabriel arrivent à leur tour. Maddie arbore un grand sourire alors que son frère semble extrêmement nerveux, jetant subrepticement des regards à son père.

— Bonjour, Maddie. Je te laisse aller derrière le rideau pour te préparer ?

— Oui !

292

Elle me fait signe de me baisser et me murmure à l'oreille :

— Tu as vu, Molly, je n'ai rien dit du tout pour Gabriel !

Je la félicite par un bisou sur la joue et l'envoie dans les coulisses rejoindre ma mère, promue habilleuse pour l'occasion.

— Madame et monsieur Hermant, est-ce que cela vous ennuie si je vous emprunte Gabriel pour le spectacle ? J'ai besoin de quelqu'un pour m'aider à bouger les décors entre les tableaux. Comme il a assisté à toutes les répétitions, il connaît bien les enchaînements.

— Pas du tout, me répond la mère de Gabriel. Vas-y, mon grand.

Visiblement soulagé, le petit garçon file rejoindre sa sœur et le reste de la troupe derrière le rideau rouge. Tout est en place, j'espère que le plaisir de la surprise sera à la hauteur du talent du petit garçon.

— Nous avons hâte de découvrir la surprise dont Maddie n'arrête pas de nous rebattre les oreilles, reprend la mère des deux enfants en souriant.

Ça n'est pas passé loin quand même...

Une fois l'ensemble des parents installés, je me glisse à mon tour derrière le rideau pour y retrouver toute la troupe fin prête à danser. À les voir costumés, coiffés et maquillés, l'émotion me saisit.

— Vous êtes magnifiques. Être votre professeur de danse est l'une des plus belles choses qui me soit arrivée. Je suis si fière de vous. Maintenant le plus important : quand la musique va démarrer, je veux que vous vous amusiez, que vous preniez plaisir à danser devant vos parents. C'est votre moment, votre récompense pour toutes ces heures de répétition.

Je m'approche des filles pour les serrer dans mes bras. Puis quand vient le tour de Gabriel, je lui murmure à l'oreille :

— Tu vas être fabuleux. Tes parents seront épatés. N'aie pas peur, surtout, quand la musique retentira, tu n'auras qu'à danser comme tu sais si bien le faire et la magie fera le reste.

Il place ses bras autour de mon cou pour m'embrasser sur la joue.

— Et maintenant, il n'y a plus rien d'autre à faire que danser !

Je positionne chacune des filles à sa place, j'encourage une dernière fois Lou et Alice et je me dirige vers l'ordinateur pour lancer la musique. Je prends une grande inspiration et les premières notes du ballet retentissent dans la salle.

Lorsque j'entrais sur scène, et même si cela remonte à plusieurs années, je me souviens que j'étais comme transportée dans un monde parallèle où seuls comptaient la musique et les mouvements.

Mais jamais je n'ai ressenti des émotions aussi fortes qu'en regardant mes élèves danser, enchaîner les tableaux sans aucun accroc. Mon corps n'a cessé de frissonner tout le long du spectacle. J'ai essuyé des larmes lorsque j'ai observé les parents de Gabriel. La surprise, puis l'immense fierté que j'ai vues sur leurs visages resteront à jamais gravées dans ma mémoire.

Les applaudissements nourris à la fin de la représentation m'ont emplie de bonheur. Et par-dessus tout, j'ai aimé voir la fierté sur leurs visages, les sourires jusqu'aux oreilles, les cris de joie.

Et soudainement, alors que je regardais mes élèves saluer leurs parents, le visage de Marie s'est imposé. Et c'est un sentiment de gratitude que j'ai ressenti. Instinctivement. Je l'ai intérieurement remerciée de m'avoir mise sur cette route, de m'avoir offert la chance de vivre ce moment inestimable.

Je regarde chaque élève rejoindre ses parents, j'entends les félicitations, les compliments. J'observe les parents de Maddie et Gabriel. Je ne sais pas ce qu'ils leur disent, mais devant le visage radieux de Gabriel, je devine sans peine que ma surprise a fait mouche.

C'est toi qui avais raison, Marie. Je comprends aujourd'hui.

Des yeux, je cherche Lou et son père, mais je ne les vois pas. Il faut que je dise à John que j'avais tort, que le point de départ importe peu quand au bout de la route on partage les mêmes sentiments.

Je m'approche du rideau dans l'espoir de les trouver derrière mais je tombe sur Alice et sa mère.

— Tu as commis plusieurs erreurs, Alice, il va te falloir travailler plus dur si tu veux devenir une grande danseuse.

Les épaules d'Alice s'affaissent et je vois des larmes emplir ses yeux. Elle ne mérite pas d'entendre ces mots-là ; elle a parfaitement dansé, cherchant sans cesse le regard de sa mère. Je m'apprête à les interrompre mais je suis devancée par Charlotte qui, postée derrière moi, a également entendu ces dernières paroles.

Elle s'avance vers Alice et la prend dans ses bras.

— Ne pleure pas, ma petite Alice, ne pleure pas. Je n'ai regardé que toi et c'est une danseuse étoile que j'ai vue. Tu étais parfaite, absolument parfaite. Et je ne suis pas la seule à le penser. Allez, sèche tes larmes et va rejoindre les autres, Nadège a préparé de délicieux cookies.

Alice s'éloigne non sans avoir demandé l'autorisation à sa mère.

— Mais pour qui vous prenez-vous ? Je suis la mère d'Alice, je sais ce qui est bon pour ma fille. Alors je vous prierai de vous mêler de ce qui vous regarde.

— Je ne suis peut-être pas sa mère, mais je ne peux pas rester sans rien dire, rétorque Charlotte sans se laisser impressionner. Alice est celle qui a le plus travaillé ces derniers jours. Je l'ai vue répéter inlassablement chacun de ses mouvements. Et pourquoi ? Pour que vous soyez fière d'elle. Vous pensez que c'est en la rabaissant que vous allez l'aider à s'épanouir ? C'est de vos encouragements dont elle a besoin, de votre amour.

— Mais j'aime ma fille ! Je ne vous permets pas.

— Eh bien montrez-le-lui ! Vous avez la chance d'avoir une petite fille merveilleuse, une petite fille qui va finir par penser qu'elle n'est pas assez bien. Moi, je donnerais n'importe quoi pour avoir la chance de pouvoir continuer à dire à ma fille combien je suis fière d'elle !

Sans lui laisser le temps de répliquer, Charlotte tourne les talons, le visage partagé entre la douleur et la colère.

Je la rattrape pour prendre sa main.

— Je suis désolée, me dit Charlotte, je n'ai pas pu me contenir. Cette femme…

— Si tu n'étais pas intervenue, je l'aurais fait, alors ne t'excuse pas. Je ne sais pas si cela servira à quelque chose mais je suis certaine que ton intervention a au moins appliqué un peu de baume sur le cœur d'Alice, et pour le moment c'est le plus important.

Je me retourne rapidement pour constater que la mère d'Alice n'a pas bougé. Qui sait finalement si ces paroles n'auront pas un impact sur elle ?

Je serre des mains, souris aux compliments, j'acquiesce lorsque les parents émerveillés me narrent les prestations de leurs enfants, mais j'ai l'esprit tourné vers autre chose. Vers quelqu'un d'autre dont je n'ai toujours pas croisé le regard. Où peut-il bien être ? Lou est avec les autres en train de s'empiffrer de cupcakes. Il ne doit pas être loin.

Et puis, je le vois. Adossé près de la porte d'entrée. Il semble m'attendre. Pendant quelques secondes, je ne bouge pas, me contentant de plonger mes yeux dans les siens, de me nourrir de la sincérité de ce que j'y lis.

Puis je souris.

Molly et John. Tu avais raison, Marie, tu avais raison.

ÉPILOGUE

30 octobre 2016

C'est Charlotte qui a eu l'idée d'organiser ce repas. Marie n'aurait pas voulu que l'on se morfonde, avait-elle dit. Elle aurait souhaité que l'on soit tous ensemble, qu'on s'amuse.

Et, aussi étrange que cela puisse paraître, je pense que cela va être le cas. Tous, nous en sommes capables à présent. Marie nous manque toujours autant, mais le temps a commencé à faire son œuvre. Rire ne nous apparaît plus comme déplacé.

Nous sommes donc réunis chez mes parents. Autour de la table, il y a Charlotte et Sacha, mon père et ma mère, Viviane et Nicolas, Nadège et M. Louvier, John, Lou et moi.

Nadège et ma mère ont passé la journée devant les fourneaux pour nous mitonner de bons petits plats. Comme à l'époque où elle fêtait Thanksgiving avec toute sa famille à Chicago.

— Servez-vous pendant que c'est chaud ! déclare ma mère comme si ça ne tombait pas sous le sens.

Chacun son tour, nous nous servons. Sauf Viviane qui pose une minuscule cuillerée de purée dans son assiette.

— Tu n'aimes plus la dinde ? l'interroge ma mère.

— Ce sont ces fichues nausées. Je ne peux rien avaler depuis des semaines. Croyez-moi sur parole, je ne suis pas près d'être enceinte de nouveau. Après cette grossesse, je mettrai la fabrique à bébés en liquidation judiciaire.

Je ris. Viviane est enceinte de quatre mois et, malgré les tracas de début de grossesse, elle est radieuse.

— Les affaires marchent bien ? lui demande mon père. Les couples ont-ils bien divorcé cette année encore ?

— Ne m'en parlez pas ! Je n'en peux plus des histoires de « C'est moi qui ai payé ce canapé », « Comment ça, tu veux les gosses ? Tu n'as jamais changé une seule couche quand ils étaient bébés », « Bien sûr que je garde le poisson[1] rouge, il est comme mon enfant ». Il est grand temps que je change de domaine.

— Ah oui ? Et tu as une idée ?

— Je crois que les *serial killers*, ça me plairait bien.

J'en recrache ma bouchée de petits pois. Viviane, elle, éclate de rire.

— Et comment se passent tes cours ? me demande Charlotte pour changer de sujet.

— Ça se passe très bien. Jamais je n'aurais cru que j'aimerais autant enseigner. Cette année, je crois que je vais faire travailler les élèves sur *Le Lac des cygnes*.

---

1. Raymond, lui, est finalement parvenu à ses fins. *Rest in fish*, mon Raymond.

Je me tourne vers Lou, dont les yeux brillent d'excitation. Un sourire accompagne l'ensemble et ça fait plaisir à voir.

— Gabriel vient toujours ?

— Bien sûr ! Et figure-toi que c'est désormais son père qui vient le chercher. Il arrive d'ailleurs chaque fois un quart d'heure avant la fin. Rien que pour le plaisir de le voir danser.

— Et la petite Alice ? poursuit Charlotte.

— Pour elle aussi ça a l'air d'aller. On n'est pas encore au stade des compliments, mais disons que sa mère semble exiger moins d'elle. Avec le temps, peut-être que…

— Et si tu venais passer quelques jours à la maison ? propose Nadège à Charlotte.

— Ah mais ça, c'est une bonne idée ! j'enchaîne. Je suis certaine qu'Alice serait ravie. Elle me demande souvent de tes nouvelles.

Un sourire éclaire le visage de Charlotte.

— Alors c'est vendu ! conclut Nadège. Enfin… Si tu n'y vois pas d'inconvénient, Antoine. J'oublie que je ne suis plus toute seule maintenant…

Ça n'a pas été sans mal de pousser ces deux-là l'un vers l'autre. Apprendre que son ex-mari divorçait de son Américaine cinq mois après leur mariage l'a réconciliée avec elle-même.

L'ambiance est bonne, les conversations se poursuivent. Mon père, comme à son habitude, divertit avec ses histoires de patients bizarres. Oui, Marie aurait adoré.

Prétextant d'aller chercher du pain, je me lève de ma chaise. John m'attrape la main au passage.

— Ça va ? s'inquiète-t-il.

301

— Oui. C'est juste que...

La pression de sa main me confirme qu'il comprend. J'ai besoin de prendre un peu l'air. Je me dirige vers la cuisine et m'appuie sur le plan de travail sur lequel sont disposés plusieurs plateaux de mignardises.

— Décidemment, toi et moi, on se retrouve souvent dans cette cuisine.

Je ne peux m'empêcher de sourire.

— J'espère que tu ne vas pas me faire une déclaration d'amour enflammée cette fois-ci, dis-je en me retournant vers Sacha. Tu sais bien que, toi et moi, c'est impossible.

— Tu ne sais pas ce que tu perds. Sous cette chemise se cache un corps d'athlète !

Nous rions quelques secondes.

— Je voulais te dire, Molly... Concernant les lettres laissées par Marie...

Je devine sans peine ce qu'il souhaite me dire.

— Tu les as lues, c'est ça ?

— Juste une ! Mais c'est parce que l'enveloppe était épaisse. Je n'arrêtais pas de me demander combien il y avait là-dedans.

— J'avoue que, moi aussi, je me suis souvent demandé ce qu'elle pouvait bien contenir.

Je le regarde sortir une enveloppe de sa poche.

— Je me suis dit que peut-être aujourd'hui tu aurais envie de lire quelques mots écrits de sa main.

Comme je ne bouge pas, il dépose l'enveloppe sur le comptoir puis retourne dans la salle à manger avec les autres. C'est la lettre du mois de juillet, celle qui est si épaisse.

Je sais que je vais finir par lire ce qu'elle contient, mais je prends mon temps. Dans la pièce d'à côté, les rires ponctuent toujours les anecdotes médicales de mon père.

J'attrape l'enveloppe et en sors la feuille de papier pliée en quatre à l'intérieur.

Molly,
« Un jour j'irai à New York avec toi, toutes les nuits déconner... »
Combien de fois a-t-on rêvé de New York toutes les deux ? Toi de Carnegie Hall et moi de balades à vélo dans Central Park.
Il est temps d'arrêter d'en rêver et d'y aller, tu ne crois pas ?
« Un jour, j'irai là-bas...
Et tu m'emmèneras.
Emmène-moi ! »
P.-S. : Il y a suffisamment d'argent pour deux...
Je dis ça...

Je replie la feuille et la remets dans l'enveloppe. Je souris et lève les yeux vers le plafond.

Je vais continuer à vivre pour toi, Marie, je te le promets.

J'attrape un plateau de mignardises et rejoins les autres.

— Qui veut du dessert ?

Bonus inédit pour les lecteurs de l'édition Pocket, les lettres de Marie non ouvertes par Molly…

Mai

Molly,

« *Sempre libera degg'io*
Folleggiare di gioia in gioia,
Vo'che scorra il viver mio
Pei sentieri del piacer.
Nasca il giorno, o il giorno muoia,
Sempre lieta ne' ritrovi,
À diletti sempre nuovi
Dee volare il mio pensier »

C'est beau non ? C'est de l'italien. Comment ça, je ne parle pas italien ? Oui, d'accord je ne comprends pas un mot de ce que je viens d'écrire, mais on s'en fiche non ? C'est un passage d'un opéra de Verdi si tu veux tout savoir.

Tu te souviens de l'émotion ressentie par Julia Roberts dans Pretty Woman *lorsqu'elle va voir un opéra avec Richard Gere ? Je me suis toujours demandé si un opéra pouvait vraiment déclencher de telles émotions... Je n'ai jamais eu l'occasion de le vérifier.*

Tu irais voir un opéra pour moi ? Un opéra dans une langue étrangère hein, sinon ce n'est pas drôle, et tu ne pourrais pas complètement te mettre dans la peau de Julia Roberts. Tu as déjà ses cheveux, ça devrait être facile.

Si tu as un Richard Gere pour t'accompagner c'est encore mieux.

Baci e abbraci

Marie

Juin

Molly,

On dit souvent reculer pour mieux sauter. Dans la vie de tous les jours peut-être, mais du haut d'un pont ? Pas certaine que faire trois pas en arrière aide vraiment à trouver le courage de sauter... de 60 mètres de hauteur, les bras écartés !

Là tu te dis que je suis en train d'essayer de t'embrouiller. Tu me connais si bien !

Peut-être que sur ce coup-ci je vais te perdre comme amie. Enfin pas au premier degré bien sûr, puisque tu seras retenue par les pieds...

Allez, tu sais combien j'en ai toujours rêvé. Et maintenant que je suis morte, je n'ai plus l'excuse de la peur. Et je t'ai toi.

Un petit saut à l'élastique ça te tente ?

P.-S. De toute façon, tu as promis alors...
P.-S. 2 : Si tu me traites de tous les noms pendant le saut, je te pardonne.

Août

Molly,

Sais-tu dessiner une personne ? Je veux dire autrement qu'en faisant un bonhomme bâtons évidemment. Non ? Eh bien moi non plus. À mon grand désespoir.

Je suis admirative de ceux qui en trois coups de crayon à papier sont capables de dessiner un paysage ou une scène vivante.

La dernière fois que j'ai essayé de dessiner un chat pour une petite fille, elle m'a dit qu'il avait l'air bizarre mon cheval. Et pourtant je m'étais drôlement appliquée.

Il y a là un manque artistique évident à combler. J'aimerais que tu apprennes à dessiner pour moi, Molly.

Tu peux même choisir un cours avec de beaux modèles nus et virils, je ne t'en voudrais pas de joindre l'utile à l'agréable.

Marie.

Septembre

Molly,

Ah septembre, j'ai toujours adoré ce mois de l'année. Le soleil de l'été qui s'étale encore un peu, la frénésie de la rentrée, les nouveaux projets...

Oui bon d'accord, j'adore surtout septembre parce que c'est le mois de mon anniversaire. Mais les autres trucs aussi sont pas mal.

Savoir que je ne fêterais pas le prochain est super-difficile. D'autant que je sais déjà ce que j'aurais voulu : une batterie. Franchement, la guitare et le piano, c'est un peu cliché. La batterie, voilà un instrument qui envoie du lourd. Une journée pourrie avec une réunion qui n'en finit pas ? Hop, tu prends tes baguettes et tu te défoules. Un abruti qui te quitte pour une autre ? Idem, tu passes tes nerfs en tapant sur tes grosses caisses. Nan, je ne vois rien de mieux comme instrument.

Dis, tu achètes une batterie pour moi ? Ne t'inquiète pas pour les voisins, ils comprendront. Si jamais ce n'est pas le cas, il y a quelques billets supplémentaires dans l'enveloppe. ;-)

Éclate-toi bien !

Marie

P.-S. : je t'interdis de pleurer le jour de mon anniversaire. C'était mon jour de joie, il doit le rester.
P.-S. 2 : par contre, je ne vois pas d'un mauvais œil une soirée arrosée jusqu'à l'oubli de ton nom.
P.-S. 3 : si tu te réveilles à côté d'un bel inconnu, ce sera encore mieux.

Octobre

Molly,

Mon père disait toujours que le chien est le meilleur ami de l'homme. Va savoir pourquoi on n'en a jamais eu alors...

Est-ce que tu te rappelles de Cleps ? Le Jack Russel qu'ont eu mes voisins pendant quelques années ? Un jour, il avait fait un trou dans notre grillage, et j'avais essayé de le planquer dans ma chambre pendant toute une nuit.

Je voudrais que tu ressuscites ce chien !

Ahahahah, je me marre parce que je suis certaine que pendant quelques secondes tu t'es demandé comment tu allais pouvoir faire.

Je plaisante, Cleps peut dormir en paix. Le pauvre.

En revanche, tu pourrais adopter un chien pour moi. Je te laisse le choix de la race, du petit truc qu'on peut transporter dans un sac à main jusqu'à l'énorme bestiau qui prend toute la place sur le canapé. En passant bien sûr par les cockers, mes préférés.

Marie

Novembre

Molly,

Voilà, c'est déjà la dernière lettre. Une année que je suis partie. Ça me fait drôle de t'écrire ça alors que je suis encore en vie. Même si elle ne tient, je le sais, plus qu'à un fil.

Ce qui me fait le plus de peine, c'est que je ne saurais jamais ce que tu as pensé de tout ça. Ni si tu as compris pourquoi ces lettres étaient importantes...

Parce que je les ai écrites pour toi.

Parce que tu en vaux la peine.

Pour ce dernier mois, je ne te demanderai rien. Enfin si, une seule chose. Ne laisse pas ma mère et mon frère seuls s'il te plaît. Le premier anniversaire est le plus douloureux, paraît-il.

Je voudrais vous voir rire en vous remémorant des souvenirs ou en regardant des photos. Je voudrais que vous parliez de mes défauts, de toutes ces choses qui me rendaient parfois insupportable. J'ai toujours pensé que la mort avait tendance à lisser les aspérités et à les faire disparaître.

Et moi, je veux rester vivante dans vos cœurs. Telle que je suis.

En ce qui me concerne, je vais partir avec le souvenir de ton rire, de tes cheveux impossibles à coiffer, de ta présence la nuit où je t'ai appelée à trois heures du matin parce qu'un abruti dont j'ai oublié le nom venait de me quitter...

Tu es bien plus qu'une amie et même s'il me tarde de te retrouver là-haut, surtout prends tout ton temps et ne me rejoins pas trop vite.

Mourir à 30 ans, j'ai testé.

(Franchement, c'est naze).

Marie

REMERCIEMENTS

Un deuxième roman, finalement, c'est encore plus stressant qu'un premier.

On n'a pas envie de décevoir ceux qui ont aimé le premier. On a envie de faire encore mieux. Je ne fais pas exception à la règle. Si j'écris, c'est parce que j'ai envie de faire passer un bon moment aux lecteurs. J'espère qu'avec Molly, Marie, Viviane, John et tous les autres, l'objectif est atteint.

Comme pour le premier roman, la liste des personnes à remercier est longue. Parce que j'ai une chance folle d'être accompagnée, et de quelle manière !

Merci, infiniment, à mon éditeur Michel Lafon pour la confiance qu'il m'accorde, pour cette bienveillance que je trouve au sein de la maison.

Merci à Florian Lafani, qui répond toujours à mes mails (nombreux, nombreux mails), sans lever les yeux au ciel (l'avantage des mails : je ne le vois pas si c'est le cas ;-)). Merci Florian pour ton écoute, pour ton honnêteté et ta transparence. Et merci de trouver que mes idées dingo ne le sont pas tant que ça.

Merci à Denis Bouchain pour le travail qu'il a fait avec moi sur ce roman. J'aime ce moment des corrections, l'étape où le regard de professionnel se penche sur le texte pour le rendre meilleur. Merci Denis pour tes suggestions, tes remarques judicieuses. Et, tu vois, pour ce qui concerne le chapitre 36, je t'ai écouté. De là à dire que l'éditeur a toujours raison… Oui, bon, je te l'accorde.

Merci à Cécile Majorel. Bien que tu ne m'aies pas accompagnée sur ce texte, tu étais avec moi tout au long de l'écriture. J'ai tellement appris avec toi lors des corrections d'*Un merci de trop*. J'espère que tu seras fière de moi en lisant ce roman.

Merci à Charlotte Allibert et Laure Prételat, à jamais mes marraines les bonnes fées.

Merci à Amélie Antoine. Il paraît que les auteurs ne sont pas faits pour s'entendre, qu'à un moment ou à un autre la rivalité s'installe. Je veux croire qu'il existe des exceptions. De toute cette aventure chez Michel Lafon, je retiens la rencontre que j'ai faite avec cette auteure de grand talent qu'est Amélie. Merci à toi d'être présente. Merci pour ces échanges quotidiens, ce soutien, et merci de me faire éclater de rire lorsque je suis déprimée (« Pense aux… » Je ne peux pas en dire plus, mais tu le sais, je ne m'en suis pas remise).

Merci à tous les lecteurs qui ont aimé *Un merci de trop*. Je chéris chaque message que je reçois. C'est précieux, vous ne savez pas à quel point.

Merci à tous ceux qui m'accompagnent dans cette aventure, mes amis, ma famille, mes enfants. Je sais que les états d'âme d'une auteure ne sont pas toujours faciles…

Et enfin, merci à celui qui partage ma vie d'être là, de me faire rire, de faire la police du Net. Grâce à toi je me sens forte. Je t'aime.

Composition et mise en pages
Nord Compo à Villeneuve-d'Ascq

Imprimé à Barcelone par:
BLACK PRINT
en août 2018

S28350/06